歯科国試
パーフェクトマスター

衛生学・公衆衛生学

野村義明・山本 健 著

第2版

医歯薬出版株式会社

執筆者一覧

上海理工大学国際光触媒研究所
鶴見大学歯学部

野村義明

鶴見大学歯学部口腔衛生学講座

山本　健

本書中のマークの見方

Check Point	：各章の最も大切な項目
よくでる	：歯科医師国家試験に頻出の内容
CHECK!	：必ず押さえておきたい重要ポイント
	：大切なキーワード，キーポイント
	：理解を助ける補足
コラム	：著者からのアドバイス

This book is originally published in Japanese
under the title of :

SHIKAKOKUSHI PĀFEKUTOMASUTĀ EISEIGAKU KŌSHŪEISEIGAKU
(Medical care and Public health for National Board of Dental Examination)

NOMURA, Yoshiaki
University of Shanghai for science and technology
Photocatalysis research center
Professor
Tsurumi university school of dental medicine
Research associate

ISHIYAKU PUBLISHERS, INC.
7-10, Honkomagome 1 chome, Bunkyo-ku,
Tokyo 113-8612, Japan

はじめに

衛生学・公衆衛生学は医療従事者の基本知識であり，共通言語ともいえる学問です．近年の歯科医師国家試験の状況では，必修問題としての出題範囲では正答率は９割近いものの，総論では６割に満たない正答率となる傾向にあります．このことから，丸暗記に頼った学習で完結し，各項目の相互の関連把握に至らず，知識としての理解度が低いまま試験に挑む受験生が多いことがみてとれます．

衛生学・公衆衛生学は出題数が多いため，思うように得点できないと，国家試験合格はきわめてむずかしいといっても過言ではありません．

さらに令和５年版歯科医師国家試験出題基準の改定では近年の歯科医療をめぐる状況の変化を鑑みた出題を行う旨が明記され，高齢化等による疾病構造の変化に伴った新しい歯科診療体制に関する内容や医療安全，職業倫理についての出題が増えるとされています．

これらの課題を乗り越えるためには，「臨床とのかかわりが少ない」「覚えることが膨大」というイメージではなく，「基本的な事象や制度」が「地域社会へどのようにかかわるのか」との身近な問題として捉えることが重要です．本書はその点に配慮して，覚えるべきポイントを簡潔にまとめました．

衛生学・公衆衛生学は範囲が広いので要点がまとまったものを反復して学習するのが近道です．本書で学んだ読者のみなさんが，衛生学・公衆衛生学をマスターして歯科医師国家試験に合格することを祈念しております．そして正しく衛生学・公衆衛生学の知識を身につけて，それを生かして歯科医師として活躍されることを願っています．

2022年９月

野村義明
山本　健

歯科国試パーフェクトマスター

衛生学・公衆衛生学　第2版　目次

Chapter 1
医療倫理

Check Point

・医療の倫理と医学研究の倫理を区別して理解する.
・リスボン宣言, ジュネーブ宣言, ヘルシンキ宣言を区別して理解する.

Ⅰ. 日本国憲法

1) 第11条 基本的人権

国民は, すべての**基本的人権**の享有を妨げられない. この憲法が国民に保障する基本的人権は, 侵すことのできない永久の権利として, 現在及び将来の国民に与へられる.

2) 第25条 生存権

・すべて国民は, **健康で文化的な最低限度の生活**を営む権利を有する.
・国は, すべての生活部面について, **社会福祉**, **社会保障**及び**公衆衛生**の向上及び増進に努めなければならない.

Ⅱ. インフォームド・コンセント

・**インフォームド・コンセント：説明と同意**
・医療, 医学研究ともに患者, 対象者へのインフォームド・コンセントは必須であるが, その内容は異なる.

A 医療のインフォームド・コンセント

・①治療内容, ②リスク, ③代替医療, ④セカンドオピニオンなどを平易に説明して同意をとる．
・口頭による場合と書面による場合がある．

B 医学研究のインフォームド・コンセント

・①研究目的，②研究方法，③研究の資金源，④研究組織，⑤研究参加により期待される利益，⑥起こりうるリスク，⑦**個人情報は保護されること**，⑧参加者はいつでも**自由意志で参加をとりやめる**ことができること，などを記載した文書による説明と書面による同意を基本とし，確認は説明者，被験者の自筆のサインで行う．
・説明文書とともに同意撤回書を渡す．

CHECK!　自己決定権　

医療のインフォームド・コンセント，医学研究のインフォームド・コンセントはともに，患者・被験者の人権，自己決定権が最も重要である．

C インフォームド・コンセントをとるのがむずかしい患者への対応

①意識のない患者：法律上の権限を有する代理人（同意権者）から同意を得る．
②自殺企図で意識のない患者：生命を救うように努力する．
リスボン宣言 （→ p.4 参照）

D セカンドオピニオン 

・セカンドオピニオンとは，主治医以外の医師からの意見を求めることをいう．
・セカンドオピニオンの対応には治療方針の提示などがあげられる．
・セカンドオピニオン外来を開設している施設があり，健康保険の適用外
・患者は診療情報提供書を持参してセカンドオピニオン外来を受診する．
・患者の自己決定権につながる．リスボン宣言 （→ p.4 参照）

Ⅲ．守秘義務

医療関係者の守秘義務とは，患者との関係において知り得た秘密を他に漏洩してはならないという義務のことである．

刑法は以下を定めている
・守秘義務
・虚偽診断書作成の禁止
・業務上過失致死

守秘義務を定めている法律

①医師，**歯科医師**，薬剤師，助産師：**刑法**

②**歯科衛生士**，**歯科技工士**：それぞれ**歯科衛生士法**，**歯科技工士法**

CHECK! インフォームド・コンセントと守秘義務の関連規程

インフォームド・コンセント
医療：リスボン宣言，医療法，医師の職業倫理指針
医学研究：ニュルンベルク綱領，ヘルシンキ宣言

守秘義務
医療：リスボン宣言，ヒポクラテスの誓い，ジュネーブ宣言，医師憲章
医学研究：ヘルシンキ宣言

Ⅳ．医療の倫理，医学研究の倫理の主な流れ

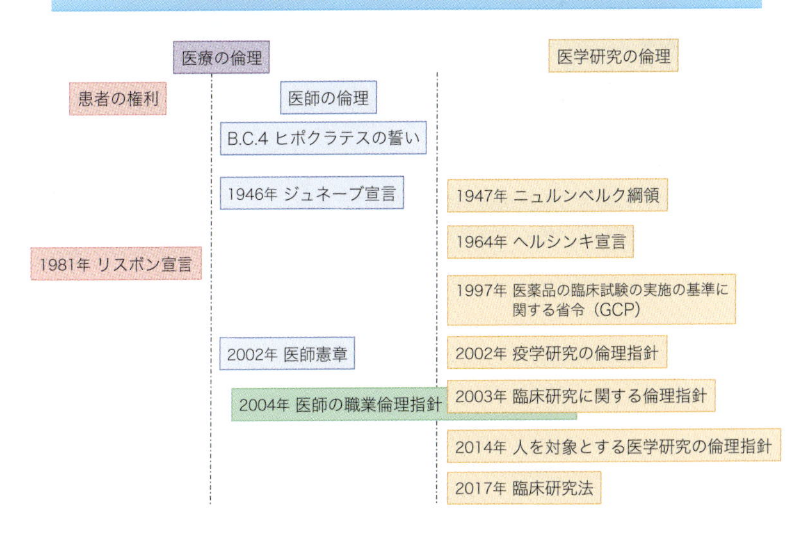

V. 医療の倫理，生命倫理を規定する法律，宣言

A リスボン宣言（世界医師会）

患者の権利をうたっている．**リビングウィル**の考えのもとになっている．

① 良質の医療行為を受ける権利
② 選択の自由の権利 セカンドオピニオン ＜ 患者が担当医を選択できる
③ 自己決定の権利 患者の自己決定権
④ 意識喪失者への対応 インフォームド・コンセント
⑤ 法的無力者への対応
⑥ 患者の意思に反する処置の禁止 患者の自己決定権
⑦ 情報に対する権利 インフォームド・コンセント
⑧ 守秘義務に対する権利 守秘義務
⑨ 健康教育を受ける権利
⑩ 尊厳の権利
⑪ 宗教的な援助を受ける権利

B 医療法

医療の基本理念を定めている．

① 生命の尊重と個人の尊厳の保持
② 医療を行う者と医療を受ける者の信頼関係
③ 医療を受ける者の心身の状況に応じて良質かつ適切な医療，疾病予防，リハビリテーション
④ 福祉サービスなどとの連携
⑤ 国民自らの健康の保持増進のための努力を基礎
⑥ 適切な説明を行い患者の理解を得る インフォームド・コンセント

C ヒポクラテスの誓い

① 患者利益の優先
② 安楽死の否定
③ 堕胎の否定
④ 医師の倫理性
⑤ 患者差別の否定
⑥ 守秘義務 守秘義務
⑦ 教師への尊敬

D ジュネーブ宣言（世界医師会）

ヒポクラテスの誓いの現代版

① 人類への奉仕，人道的目的に向けての医師の奉仕
② 教師に尊敬と感謝の念
③ 良心と尊厳をもって専門職を実践
④ 患者の健康を私の第一の関心事とする
⑤ 患者の秘密を患者の死後においても尊重 守秘義務
⑥ 名誉と伝統の保持
⑦ 同僚は，私の兄弟姉妹
⑧ 患者を差別しない
⑨ 人命を最大限に尊重
⑩ 医学的知識を悪用しない

E 医師憲章

1） 基本三原則

① 患者福利優先の原則
② 患者の自律性に関する原則
③ 社会正義の原則

2）10の責務

① プロフェッショナルとしての能力に関する責務
② 患者に対して正直である責務
③ 患者情報を守秘する責務 守秘義務
④ 患者と適切な関係を維持する責務
⑤ 医療の質を向上させる責務
⑥ 医療のアクセスを向上させる責務
⑦ 有限の医療資源の適正配置に対する責務
⑧ 科学的な知識に関する責務
⑨ 利害衝突に適切に対処して信頼を維持する責務
⑩ プロフェッショナルの責任を果たす責務

F マドリッド宣言，ソウル宣言

医師の自主性を重視した職業規範に関する宣言

G 医師の職業倫理指針〔第3版〕（日本医師会）

医の倫理綱領

医師は責任の重大性を認識し，人類愛を基にすべての人に奉仕する
① 生涯学習の精神
② 教養を深め，人格を高める
③ 医師は医療を受ける人々の人格を尊重，医療内容についてよく説明し，信頼を得る インフォームド・コンセント
④ 互いに尊敬し，医療関係者と協力する
⑤ 医療の公共性，法規範の遵守
⑥ 営利を目的としない

H 医療倫理学の4つの原則

1）自律尊重原則

患者が自分で決定できるよう，重要な情報の提供，疑問への丁寧な説明などの援助を行い，**患者の決定を尊重**し従うこと

2）善行原則

その患者の考える**最善の利益**を考慮すること

3）無危害原則

危害を加えない責務および危害のリスクを背負わせない責務

4）正義原則

医療専門職が，個々の患者に費やすことができる資源の範囲，提供できる**治療の限界**について判断すること

I 医療専門職の義務の基礎となる２つの原則

1）誠実

真実を告げる，うそをいわない，あるいは他者をだまさない**義務**

2）忠誠

人の専心したことに対して**誠実であり続ける義務**

J シドニー宣言

死の定義，死亡時刻の判定，臓器移植に関連する．

Ⅵ．医学研究の倫理に関する宣言

A ニュルンベルク綱領

人体実験の禁止

① 被験者の自発的な同意　医学研究に関するインフォームド・コンセント
② 社会の福利のために実り多い結果を生む
③ 実験の遂行が正当化されるよう計画
④ 不必要な身体的，精神的な苦痛や傷害を避けて行う
⑤ 死亡や障害を引き起こす実験の禁止
⑥ 危険性は人道上の重大性を決して上回るべきではない
⑦ 危険性からの被験者を保護
⑧ 科学的有資格者による実験
⑨ 被験者の実験を中止させる自由
⑩ 科学者による実験の中止

B ヘルシンキ宣言

① 医学の進歩は人間を対象とする諸試験を要する研究に基づく
② 個々の被験者の権利および利益の優先
③ 被験者の生命，健康，尊厳，全体性，自己決定権，プライバシーおよび個人情報の秘密を守る 守秘義務
④ 損害を受けた被験者に対する適切な補償と治療の保証，リスク，負担，利益
⑤ 研究倫理委員会 倫理委員会
⑥ インフォームド・コンセント 医学研究に関するインフォームド・コンセント
⑦ 研究への不参加，同意撤回の自由 研究参加に対する自己決定権
⑧ 研究の全体的成果について報告を受ける権利

C シンガポール宣言

研究の誠実性，説明責任に関する宣言

D 人を対象とする医学研究の倫理指針

「疫学研究の倫理指針」と「臨床研究に関する倫理指針」が統合されたもの．文部科学省と厚生労働省が作成

E 医薬品の臨床試験の実施の基準に関する省令（GCP）

医薬品，医療機器等の品質，有効性及び安全性の確保等に関する法律に基づく厚生労働省省令

GCP：Good Clinical Practice
GLP：Good Laboratory Practice（動物実験の倫理）

F 臨床研究法

・目的：臨床研究に対する信頼の確保を図り，保健衛生の向上に寄与する．
・主な内容：①臨床研究の実施の手続き，②認定臨床研究審査委員会による審査などの適切な実施，③臨床研究に関する資金などの提供に関する情報の公表の制度

「人を対象とする医学研究の倫理指針」とGCPの比較

	人を対象とする医学研究の倫理指針	医薬品の臨床試験の実施の基準に関する省令（GCP）
IRB（施設内評価委員会） IRB：Internal Review Board	倫理審査委員会	治験審査委員会
	5名以上	5名以上
	自然科学の有識者	医学，歯学，薬学その他の医療または臨床試験に関する専門的知識を有する者以外の者
	人文・社会科学の有識者	実施医療機関と利害関係のない者
	一般の立場から意見を述べることのできる者	治験審査委員会の設置者と利害関係のない者
	所属機関に所属しない者　複数名	
	男女両性で構成	
インフォームド・コンセント	5年間保管	3年間保存
	侵襲を伴う研究は文書による説明と同意の取得	文書による説明と同意の取得
	侵襲を伴わない研究は口頭による説明と同意の取得による記録作成で可	
計画書	研究計画書	治験実施計画書
有害事象	重篤な有害事象への対応を決める．	被験者に健康被害がでた場合は無過失補償
その他	個人情報等および匿名加工情報	モニタリング，監視
	利益相反の管理	倫理審査委員会では代用できない．治験実施施設ごとに設置が義務づけられている．
	研究者等の責務：研究対象者などへの配慮，教育・研修	
	研究責任者の責務：研究計画書，進捗状況の管理・監督	
	研究機関の長の責務：総括的な監督	
	研究計画書	

治験コーディネーター：治験実施医療機関において，治験責任医師または治験分担医師の下で治験に係る業務に協力する薬剤師，看護師，その他の医療関係者をいう．

利益相反：研究者が医学研究を通して産学連携を積極的に行えば特定企業の活動に深く関与する．研究者には公的な利益のための社会的な責務と，産学連携活動に伴い生じる個人が得る利益との間に衝突・相反する状態が必然的・不可避的に発生する．具体的には大学などの研究者は企業から研究費をもらってもよいが，その旨を公開しなければならない．特定企業のために研究結果を改ざんすることは研究不正になる．

Chapter 2

健康，予防の概念と社会環境

Check Point

・健康の定義を理解する.
・予防・衛生の役割を理解する.
・健康増進および一次予防，二次予防，三次予防の考え方，疾病の定義を理解する.

I．健康の定義

WHO 憲章の健康の定義

<英文>

"Health is a state of complete **physical**, **mental** and **social** well-being and not merely the absence of disease or infirmity."

<和訳>

『健康とは，完全に，**身体的**，**精神的**，および**社会的**によい（安寧な）状態であることを意味し，単に病気ではないとか，虚弱でないということではない』

英語の健康の定義は英文のまま出題された．英文も和訳も丸暗記しておこう．

II．健康増進

健康増進のためには，個人ができること（ブレスロの７つの健康習慣）と社会環境の整備（ヘルスプロモーション）がある.

A ブレスロ（Breslow）の7つの健康習慣

①適正な睡眠時間（7～8時間）

②喫煙をしない

③適正体重を維持する

④過度の飲酒をしない

⑤定期的にかなり激しい運動をする

⑥朝食を毎日摂る

⑦間食をしない

「健康日本21」の生活習慣および社会環境の改善に関する目標の6項目（①栄養・食生活，②飲酒，③喫煙，④運動，⑤休養，⑥歯と口腔の健康）にほぼ対応！

B ヘルスプロモーション（健康増進）

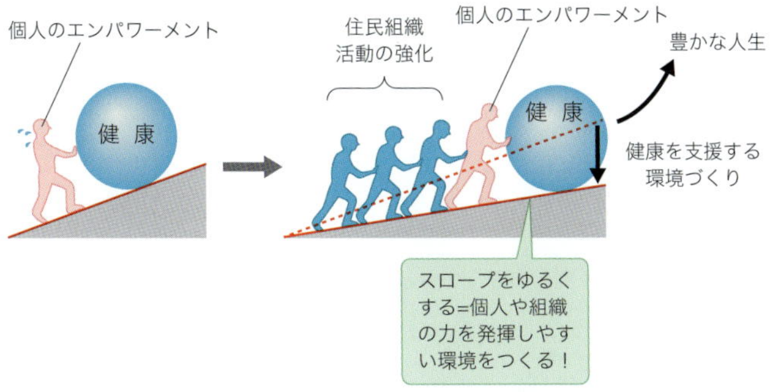

ヘルスプロモーションの概念図

過去に出題されたヘルスプロモーションの実例：ウォーキングイベントの開催

1）オタワ憲章

(1) ヘルスプロモーションの定義

「人々が自らの**健康とその決定要因**を**コントロール**し改善できるようにする**プロセス**」

(2) ヘルスプロモーションの方法，戦略

・**健康教育**によって「**知識**，**価値観**，**スキル**などの資質や能力」を身につける．

・健康的な公共政策や健康を支援する環境づくりにより**行動変容**を促す.
・オタワ憲章によるヘルスプロモーション実施の3つの基本戦略
➡**唱道，調停，能力の付与**

（3）目標実現のための活動方法
①健康的な**公共政策**づくり
②健康を支援する環境づくり
③地域活動の強化
④**個人技術の開発**
⑤ヘルスサービスの方向転換

（4）個人技術の開発活動を成功させるための5つのプロセス
①唱道
②投資
③能力形成
④規制と法制定
⑤パートナーと同盟

エンパワーメント：個人や集団がもっている能力を引き出し，組織，社会などに影響を与えるようになること.

Ⅲ．疾病と障害の概念

A 国際疾病分類（ICD-11）

・WHO が作成した疾病の分類
・人口動態調査，患者調査，社会保険診療点数表などで使用

B 国際生活機能分類（ICF）

1）ICF の概念

・障害を個人の問題とするのではなく，**環境との関係**でとらえる考え方
・人のすべての健康に関連する構成要素のいくつかを扱う.
・ICF の前身である WHO の国際障害分類（ICIDH）は環境を考慮して

いなかった➡ICIDH に環境因子の概念を加え改変したものが ICF

・**国際障害分類（ICIDH）の考え方**

疾病➡機能不全➡能力低下➡社会的不利

2）ICF の構成要素と相互作用

（1）生活機能と障害

①**身体構造**（身体の解剖学的部分機能障害）

構造障害を含む心身機能と身体構造を合わせたもの

②**心身機能**

心理的機能を含む身体系の生理的機能

③**活動 / 活動制限**

・活動：課題や行為の個人による遂行

・活動制限：個人が活動を行うときに生じる難しさ．ICIDH の「能力低下」に相当する．

例）障害によって運動ができない，麻痺によって歩行できない．障害によって咀嚼できない．

④**参加 / 参加制約**

・参加：生活・人生場面への関わり

・参加制約：個人が何らかの生活・人生場面に関わるときに経験する難しさ

例）障害によって就職できない．

（2）背景因子

①**個人因子**

年齢，性別，当事者の意欲，態度など

②**環境因子**

人々が生活し，人生を送っている物的な環境や社会的環境，人々の社会的な態度による環境を構成する因子

例）家族の介護力，バリアフリー環境，車椅子などの補助器具

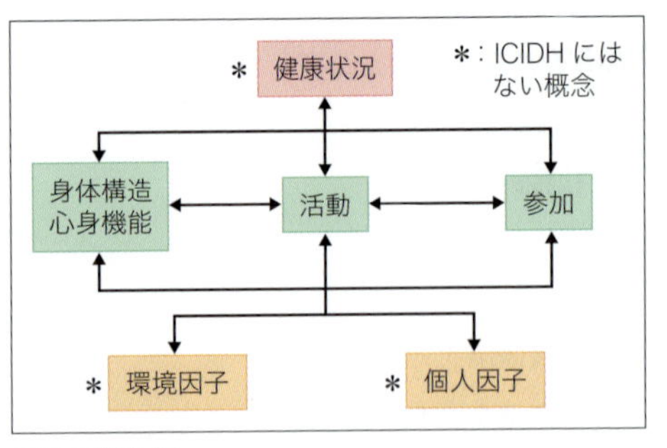

ICF の概念図
①背景因子である環境因子と個人因子，身体構造・心身機能が活動に影響する．
②活動と環境因子が参加に影響する．
③身体構造・心身機能，活動，参加が健康状況に影響する．
④身体構造・心身機能，活動と参加，環境因子が細かくコード化されている．
（厚生労働省ホームページ，「国際生活機能分類－国際障害分類改訂版－」（日本語版）の厚生労働省ホームページ掲載について）

ICF はかなり細かいところまで問われる．概念図を丸暗記しただけでは回答できない問題もあるので具体例を通じて内容を理解しておく必要がある．

コラム：ICF による評価の例

48 歳の女性．28 歳で筋萎縮性側索硬化症（ALS）を発症し，35 歳で人工呼吸器を装着した．眼瞼・眼球運動機能が残存しているため，開閉眼で意思疎通を行うことができ，コンピュータやインターネットを駆使して地域の患者会の会長をしている．国際生活機能分類（ICF）によるこの患者の評価は，「機能障害：あり」，「活動制限：あり」，「参加制約：なし」となる．

Ⅳ．疾病の自然史と予防の概念

A 疾病の自然史と予防手段

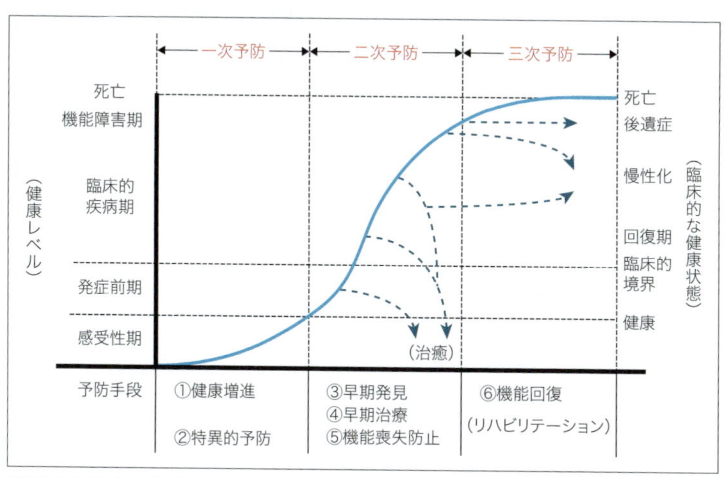

疾病の自然史，健康のレベルと予防手段　（第107回歯科医師国家試験より改変）

B Leavell と Clark の予防の概念

	予防手段	内容
一次予防	健康増進	健康的な生活習慣，生活環境の保持増進，改善 例）砂糖摂取制限，禁煙指導 健康教育（保健・衛生の指導） 例）性教育，結婚相談，メディアを通じた健康促進
	特異的予防	予防接種，消毒，事故の防止対策，職業病や公害を防ぐ環境整備 例）PMTC，フッ化物歯面塗布，フッ化物洗口，小窩裂溝塡塞
二次予防	早期発見	集団健診など 例）定期歯科健診
	早期治療	重症化を防ぐための早期の治療 例）歯周基本治療，歯石除去
	機能喪失防止	発症した疾病の増悪阻止，機能障害を残さない 例）レジン充塡，抜髄，動揺歯の固定
三次予防	機能回復（リハビリテーション）	社会復帰のためのリハビリテーション 例）補綴治療

機能喪失防止は Leavell と Clark の原著 2 版では三次予防，3 版では二次予防に分類されているため混乱が生じている．口腔衛生の教科書では機能障害防止が二次予防に分類されているため，前頁の表で覚えておく．

V．予防，衛生の実践方法

A ポピュレーションアプローチとハイリスクアプローチ

1）ポピュレーションアプローチ

・**集団全体**に働きかけ，疾病のリスクを減少させる介入方法

・**1 人当たりの費用は安い**（全体の費用は大きくなることがある）．

・**ポピュレーションストラテジー**，集団アプローチともいう．

・**一次予防**に相当する．

例）**水道水のフッ化物添加**，自動車運転時のシートベルト着用の義務，高等学校での歯科保健教育，地域住民への歯科保健相談など

2）ハイリスクアプローチ

・リスクが高い集団に対してリスクを減少させる介入方法

・ハイリスク者を早期発見するため，**二次予防**に相当する．

・**ローリスク者への介入が省略**できる．

・**現在の医療体系に取り込みやすい**．

・**ハイリスクストラテジー**ともいう．

例）特定健康診査，特定保健指導

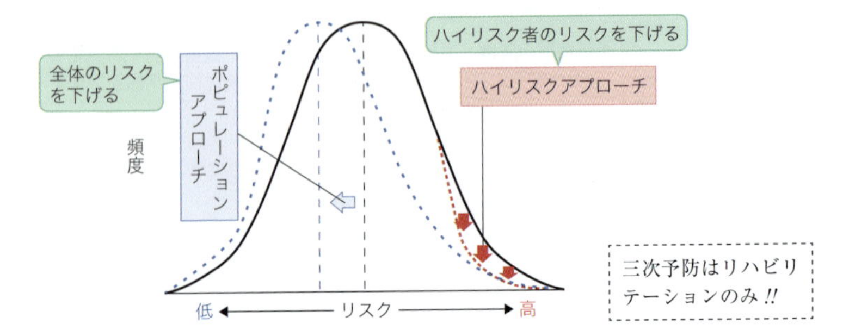

三次予防はリハビリテーションのみ !!

CHECK! ポピュレーションアプローチとハイリスクアプローチの見分け方 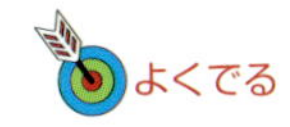

- 「一般集団，不特定多数に対する……」とあったら
  ➡ポピュレーションアプローチ
- 対象集団がローリスクの者を含んでいる場合は，ポピュレーションアプローチ
- 「疾患，リスクのある者に対する……」とあったら
  ➡ハイリスクアプローチ

B ノーマライゼーション 

- **障害者が健常者と同様の生活ができるような社会にすること**
- 共生社会における理解の促進
- バリアフリー化，ユニバーサルデザインなど

バリアフリー化の例

ユニバーサルデザインの例

ユニバーサルデザイン：**心身障害の程度，年齢，性別**にかかわらず利用できるデザインのこと

C PDCAサイクル 

- **Plan**（計画）：実施計画を作成
- **Do**（実行）：計画に沿って実行
- **Check**（評価）：成果を評価
- **Act**（改善）：評価に基づき改善し，次のサイクルの計画につなげる．
- PDCAサイクルの考え方は地域保健活動，医療安全などにも用いられている．

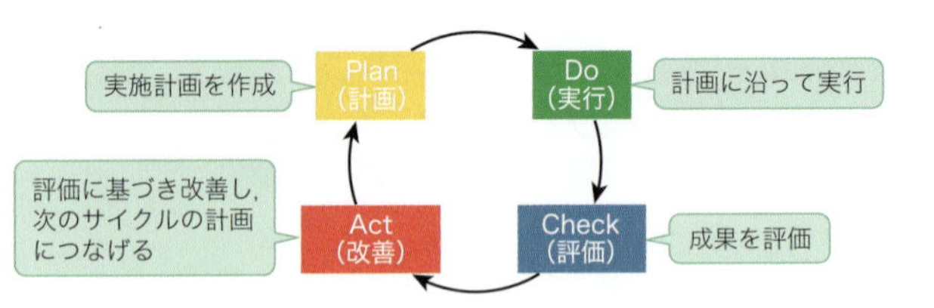

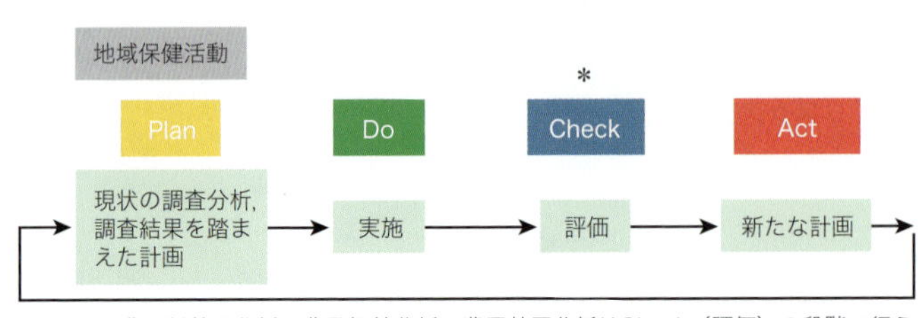

＊費用対効果分析，費用便益分析，費用効用分析はCheck（評価）の段階で行う

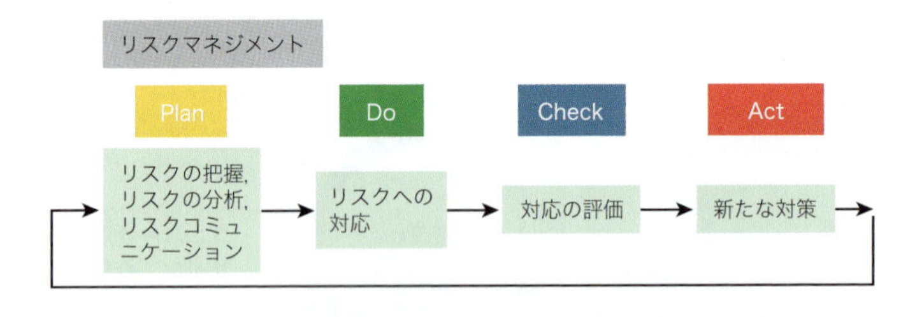

リスクコミュニケーション：リスクに対する関係者間の情報，意見交換

Ⅵ．プライマリヘルスケア

A アルマ・アタ宣言

発展途上国に向けた，保健・医療サービス提供のための提言で**健康は基本的人権**であることをうたう．スローガンは「**すべての人びとに健康を**」

B プライマリヘルスケア実施上の５原則

①住民のニーズに基づく方策

②地域資源の有効活用

③住民参加

④他のセクターとの協調，統合

⑤適正技術の使用（②に含め４原則とすることもある）

C プライマリヘルスケアの具体的な活動項目

①健康教育（ヘルスプロモーション）

②食料確保と適切な栄養

③安全な飲み水と基本的な環境衛生

④母子保健（家族計画を含む）

⑤主要な感染症への予防接種

⑥地方風土病への対策

⑦簡単な病気や怪我の治療

⑧必須医薬品の供給

プライマリヘルスケアは発展途上国に向けたものであるが，先進国では家庭医療，かかりつけ医などをベースとしてプライマリヘルスケアが機能するため，家庭医療の原理が提唱された．家庭医療の原理は「プライマリヘルスケア実施上の５原則」に近い．

D 家庭医療の原理

①**近接性**：医療へのアクセスが物理的にも，心理・社会的にも良好

②**包括性**：どのような問題にも対応する

③**継続性**：問題の経過中だけではなく病気の前後や健康時にも関わる

④**協調性**：チームでケアを有機的に進める

⑤**責任性**：インフォームド・コンセントを重視

E かかりつけ歯科医，かかりつけ歯科医機能

かかりつけ歯科医は一次医療を実践する．地域包括ケアシステム，ヘルスプロモーションを含むプライマリヘルスケアを実践する．より具体的な内容が家庭医療の原理に対応している．

①健康教育（継続性）

②訪問診療（近接性，包括性，継続性，協調性）

③全人的医療（包括性，継続性）

④生涯を通じての医療（包括性，継続性）

Ⅶ．予防，衛生の評価方法

A 評価項目

評価項目には，疾患の罹患率，有病率，死亡率の他に，QOL（生活の質）などがある．

CHECK! QOL

・生活の質のこと
・具体的には「生活の困りごと」などを質問紙で評価する．
・標準化された汎用評価法と疾患特異的評価法がある．

B 分析方法

1）費用対効果分析

・一定の効果を得るために必要な費用を算出して評価する．
・かかった費用÷疾病の量，費用÷生存期間　など
　例）DMF を 1 減らすのにかかる費用

効果は金銭で表されるとは限らない！

2）費用便益分析

・一定の便益（効果を金銭に換算したもの）を得るために必要な費用を算出して評価する．
・かかった費用÷医療費　など
　例）医療費を 1,000 円減らすのにかかる費用

効果を金銭に換算！

3）費用効用分析

・一定の効用（効果を QOL に置き換えたもの）を得るために必要な費用を算出して評価する．
・費用÷ QOL　など
　例）食べたい物が食べられて満足する人を 1 人増やすのにかかる費用

効果を QOL に置き換える！

CHECK! 分析方法

①費用対効果分析：かかった費用÷疾病の量など
②費用便益分析：かかった費用÷疾病の量などを金銭に換算(医療費など)
③費用効用分析：かかった費用÷ QOL
・PDCA サイクルでは，Check（評価）の段階で行う．

例 題

ある小学校でフッ化物洗口を実施した．10 点満点の口腔 QOL 評価票を用いて実施前後の口腔関連 QOL を評価した．

予防によって減少したう蝕歯数	10 本 / 人
予防によって減少した歯科医療費	1,000 円 / 人
予防によって増加した QOL の点数	2 点 / 人
フッ化物洗口にかかった費用	100 円 / 人

分子はかかった費用
＝～するためにいくらかかる

①費用対効果分析
100 円÷ 10 本＝ 10 円 / 本
う蝕を 1 本減らすのにかかる費用は 10 円

費用対効果が高い
→少ない費用で効果大

②費用便益分析
100 円÷ 1000 円＝ 0.1 円
医療費を 1 円減らすのにかかる費用は 0.1 円
③費用効用分析
100 円÷ 2 点＝ 50 円 / 点
口腔関連 QOL を 1 点向上させるのにかかる費用は 50 円

Ⅷ．健康の社会的決定要因と健康格差

A 健康の社会的決定要因

人々の健康状態を規定する社会的，経済的，環境的，政治的条件
・**社会的条件**：社会的地位
・**経済的条件**：所得，教育水準（**ヘルスリテラシー**）

・**環境的条件**：地域社会の環境，労働環境，衛生状態，医療

・**政治的条件**：国，地域の医療政策

ヘルスリテラシー：健康に対し適切な意思決定に必要な健康情報やサービスを調べ，効果的に利用する能力

B 健康格差

・社会的決定要因により生じる健康と医療の質の格差

・社会的決定要因：**収入**，居住環境，**雇用状態**，**ヘルスリテラシー**，生活様式（喫煙，飲酒，栄養，運動），環境衛生状態，社会的環境（犯罪率，雇用機会）など

1）健康格差が生じる3つの領域

①疾病の発生頻度の格差

②医療へのアクセス（近接）の格差

③医療の質の格差

2）健康格差への対応

・健康格差は健康の社会的決定要因から生じるため医療制度のみでは対応できない．

・健康格差は自然災害によって拡大される．

・日本の医療保険制度は健康格差を縮小している．

・「**健康日本21（第二次）**」では「**健康寿命の延伸と健康格差の縮小**」を目標としている（疾病の発生頻度の格差を縮小する環境づくり）．

・WHOの2020年までの目標の1つに，口腔健康格差の縮小がある．

(1) バンコク憲章（WHO）

国際社会における健康の決定要因を管理するためには持続可能な政策，活動，社会基盤への投資が必要であるとしている．

(2) アデレード宣言（WHO）

健康格差をもたらす健康の社会的決定要因への対策として，すべての政策において健康を考慮したアプローチが必要とされている．

Chapter 3
疫学とその応用

Check Point

・疫学の分類と特徴を理解する.
・疫学指標の計算ができる.

I. 疫学の歴史

A ジョン・スノー

・1850年代にイギリスでのコレラの流行時に，コレラ患者の居住地を記載
・患者が特定の井戸の周りに集中していることを発見し，**井戸**を封鎖しコレラの蔓延を防いだ.

B 高木兼寛の航海実験

海軍の航路で，乗組員の食事を白米ばかりでない食事に変更して脚気の発症を激減させた.

コラム：衛生学・公衆衛生学での歴史上の重要人物

人名	年代	内容
ヒポクラテス	B.C.460～375頃	ヒポクラテスの誓い
ラマツィーニ	1633～1714	労働衛生の先駆的研究
チャドウイック	1800～1890	世界初の公衆衛生法を制定
ペッテンコッファー	1818～1901	世界初の衛生学講座開設
ジョン・スノー	1813～1858	疫学の父
高木兼寛	1849～1920	ビタミンの父，航海上で脚気の撲滅

Ⅱ．疫学の概念

- 疫学とは，**人間集団**で健康関連の流行現象を扱う学問
- 都道府県の医療計画，医療費適正計画などの政策樹立に役立てる．
- 仮説を立てる（記述疫学）➡仮説を確認する（分析疫学）➡仮説を検証する（介入疫学）という手順で実施する．

Ⅲ．疫学の分類と特徴

A 疫学の分類

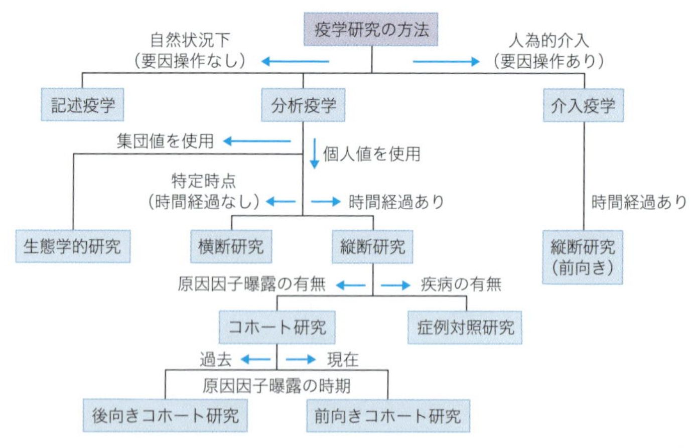

（重松，柳川監修，新しい疫学，1991より一部改変，宮武ほか編，衛生学・公衆衛生学，2008）

B 各疫学の特徴

<table>
<tr><th colspan="2">分類</th><th>介入の有無</th><th>時間の流れの有無</th><th>因果関係</th><th>仮説</th></tr>
<tr><td colspan="2">記述疫学</td><td rowspan="5">なし（観察研究）</td><td rowspan="3">なし（断面調査）</td><td rowspan="3">相関関係</td><td rowspan="3">仮説を立てる</td></tr>
<tr><td rowspan="4">分析疫学</td><td>横断研究</td></tr>
<tr><td>生態学的研究</td></tr>
<tr><td>コホート研究</td><td rowspan="3">あり（縦断調査（研究））</td><td rowspan="3">因果関係</td><td rowspan="2">確認</td></tr>
<tr><td>症例対照研究</td></tr>
<tr><td colspan="2">介入疫学</td><td>あり（介入研究）</td><td>検証</td></tr>
</table>

分析疫学は仮説を確実に検証し，正しいか誤りかを決定することはできない．そのため「仮説を確かめる / 確認する」などのあいまいな表現が使われる．

横断研究，生態学的研究の分類は書籍によって記載が異なる．多くの書籍ではこれらを記述疫学に分類している．本書では，日本疫学会が監修している疫学用語の基礎知識に基づき記載した．

記述疫学，分析疫学，介入疫学の分類とは別に，数学モデルを作成するものを理論疫学とよぶ．

Ⅳ．記述疫学

・人間集団における疾病の発症頻度，分布，関連情報を**人，場所，時間別に記述**する方法

・既存の資料の分析は記述疫学に含まれる．

・時系列で比較しても**同じ集団を追跡しないと縦断研究にはならない**ため，歯科疾患実態調査の 8020 達成者の年次推移などは記述疫学に分類される．

Ⅴ．分析疫学

横断研究，生態学的研究，コホート研究，症例対照研究が分析疫学に含まれる．

A 横断研究

ある集団のある一時点での疾病（健康障害）の有無と要因の有無を同時に調査し，関連を明らかにする方法

記述疫学と横断研究：1 つの断面調査で得られた有病率でも，人（年齢，性別など），場所（国別，都道府県別，市町村別など），時間別（月単位，年単位など）で分析すれば記述疫学となり，疾病の要因別（フッ化物洗口の有無など）で分析すれば横断研究になる．

B 生態学的研究（地域相関研究）

集団単位（国，都道府県，市町村など）を分析対象とし，集団間での要因と疾病の関連を検討する方法

例）都道府県単位でがんによる死亡率の分析を行う.

C コホート研究

・要因対照研究ともいう.

・前向きコホート研究と後向きコホート研究があるが，単にコホート研究といえば通常は**前向きコホート研究**を指すことが多い.

1）前向きコホート研究

調査時点で，要因をもつ集団（曝露群）ともたない集団（非曝露群）を追跡し，両群の疾病の罹患率，死亡率などを比較する方法

2）後向きコホート研究

・過去に要因に曝露された群とされなかった群に分け，現在までの罹患率，死亡率などを検討する方法

・健診データなどが保管，管理されている場合に実施できる.

D 症例対照研究（患者対照研究）

ある疾患に罹患している集団と罹患していない集団を設定し，過去の曝露による疾患への影響を検討する方法

1）リコールバイアス

患者，対照者の**過去の記憶に頼る**ためバイアスを生じやすい（**思い出しバイアス**ともよばれる）.

2）マッチング

・患者群と対照群の年齢や性別などを揃えておくこと

・交絡因子（→ p.53 参照）の調整法

コホート研究と症例対照研究の比較

分類	（前向き）コホート研究	症例対照研究
時間軸	前向き	後向き
研究期間	長い	短い
費用，労力	大きい	比較的小さい
曝露情報の信頼性	高い	低い（思い出しバイアス）
まれな疾患を対象	不向き	適している
相対危険度*（リスク比）	算出できる	オッズ比*で近似
寄与危険度*（リスク差）	算出できる	算出できない
累積罹患率	算出できる	算出できない

* 相対危険度，寄与危険度，オッズ比は要因による発病の危険度を表す（→ p.32～35 参照）.

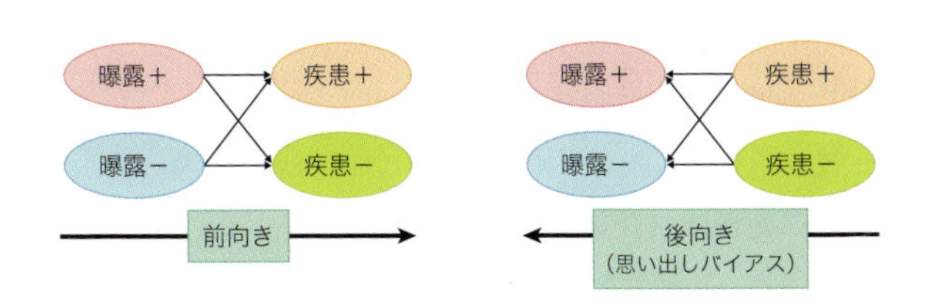

Ⅵ. 介入疫学（実験疫学）

・ヒトに対して人為的な介入，実験を行う方法

・介入群と対照群の比較や介入前後の比較によって評価を行う.

1）対照群（コントロール群）

介入の効果を判定するための比較対象

2）無作為割り付け

・対象者を，乱数表などを用いて無作為に介入群と対照群に割り付ける.

・一方の群に都合のよい患者が偏らないようにする方法

・交絡因子（→ p.53 参照）の調整法

3）プラセボ（偽薬）効果

有効成分を含まない（治療効果のない）偽薬を服用しているにもかかわらず，患者の心理的作用（薬を服用している安心感など）から生じる疾病の改善効果

偽薬（プラセボ）：外観や味は治験薬とまったく同じで，有効成分を含まない（治療効果がない）薬

4）ホーソン効果

・人（医師など）に観察されることによる効果

・医師の診察を受けただけでよくなったと感じてしまう安心感による効果

5）盲検（マスキング，ブラインディング）

実験の被験者や評価者，分析者などに，介入群，対照群のどちらに割り付けられているかを知らせない（わからない）ようにし，評価に対するバイアスを抑える方法

(1) 一重盲検（シングルブラインド）

被験者をマスキングする．

(2) 二重盲検（ダブルブラインド）

被験者，評価者をマスキングする．

(3) 三重盲検（トリプルブラインド）

被験者，評価者，分析者をマスキングする．

A ランダム化比較試験（無作為化比較試験，RCT）

・対象者を，介入群と対照群に**無作為に割り付け**し，介入を行い，介入効果を判定する方法

・新薬開発の際には必ず行われる．

・**最もエビデンスの質が高く**，仮説を検証することができる．

・盲検を行うとエビデンスの質があがる．

・非喫煙者に強制的に喫煙をさせるような，害に対する試験は倫理的に行うことができないため，害やリスク因子に対する研究には不向きである．

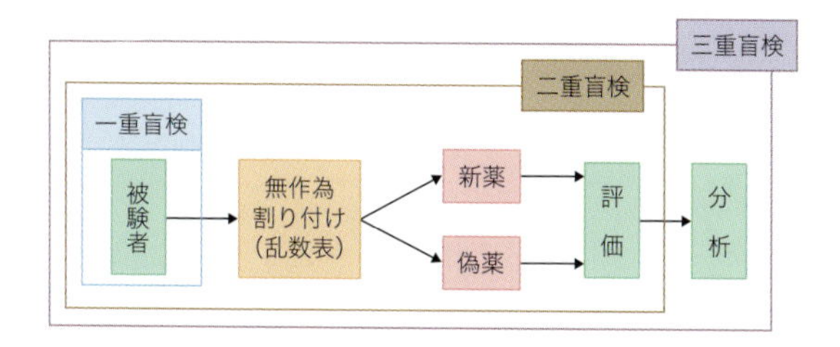

・条件が厳しく実施が困難な場合に以下の方法が用いられることがある.

①**非ランダム化試験**:介入群と対照群の無作為割り付けを行わない比較試験

②**オープンラベル試験**:盲検(マスキング)を行わない試験

➡①,②ともエビデンスの質が低くなる.

B 臨床試験,治験

1)臨床試験

ヒトで医薬品などの有用性,安全性を調べる介入試験

(1)臨床試験の種類

①**第Ⅰ相臨床試験**:健常人を対象として新薬の**安全性**,**体内動態**を検討

②**第Ⅱ相臨床試験(探索的臨床試験)**:少数の患者を対象として**臨床効果**を検討

前期:効果の有無を検討

後期:適切な用法・用量の決定とその有効性を検討

③**第Ⅲ相臨床試験(検証的試験)**:多数の対象者で副作用などを含め薬剤の**有効性の有無を検討(ランダム化比較試験を実施)**

④**第Ⅳ相臨床試験**:市販後調査によって副作用などの有害事象の発生などをデータ収集

2)治験

・医薬品として厚生労働省による医薬品,医療機器等の品質,有効性及び安全性の確保に関する法律(薬機法)の承認を得るために行う試験

機能性食品の認可のために行われる臨床試験は治験ではない

・医薬品の臨床試験の実施の基準に関する省令（GCP → p.8 参照）を遵守して行う．

C 地域介入研究

地域単位でリスク因子に介入を行う研究方法

例）水道水のフッ化物添加

コラム：対照群をおくことの大切さ

「医者にかかってもらった薬を飲んだら風邪が治った」という表現には，自然治癒の効果，ホーソン効果，プラセボ効果，治療効果が含まれているため治療効果を正確に判定できない．自然治癒の効果，ホーソン効果，プラセボ効果までを同等にした対照群と比較することによって治療効果の判定ができる．

この対照群をおくことの大切さは歯科医師国家試験で過去に 2 回出題されている．

Ⅶ．疫学指標の計算

A 罹患率，有病率，死亡率，致命率

1）罹患率

新規に発生した患者数÷人年（一定期間，**人口千対**）

2）有病率

患者数÷人口（一時点，**人口千対**）

3）死亡率

死亡者数÷人年〔一定期間，**人口千対**（疾患別では 10 万対）〕

4）致命率

ある疾患による死亡者数÷罹患者数（一定期間，**%**）

5）累積罹患率

新規に発生した患者数÷観察開始時の人数（一定期間）

人年法

・出生，死亡，転入・転出（引っ越し）などで人口は変化する．
・1人を1年間観察した場合を1人年とする．
例）ある市に半年間居住した人が2人いると，
0.5 × 2 = 1人年
3か月居住した人が8人いると，
0.25 × 8 = 2人年
となる．

前向きコホート研究では調査開始時に設定した対象集団のみを追跡していく場合が多く，厳密な意味での罹患率は求められないため，累積罹患率として罹患率と区別する．

例題

人口10,000人の都市で，1月1日にある疾患の患者が100人いる．
12月31日までに200人が新たにその疾患に罹患し，そのうち30名が治癒し，20名が死亡した．
罹患率：200÷10,000×1,000＝20（人口千対）
有病率：100÷10,000×1,000＝10（1月1日，人口千対）
(100＋200－20－30)÷10,000×1,000＝25（12月31日，人口千対）
死亡率：20÷10,000×1,000＝2（人口千対）
致命率：20÷300＝0.0666　6.7%

10,000－20＝9,980人が正確な分母であるが，10,000人で概算して差しつかえない．

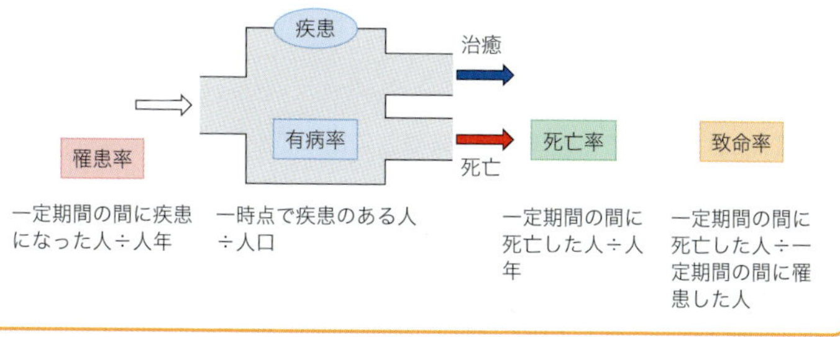

CHECK! 平均有病期間と有病率

平均有病期間が短い疾患（短期間に死亡する人が多い，または短期間で治癒する人が多い）では有病率は低くなる．

B コホート研究の疫学指標

要因による発症の危険度

- 相対危険度：曝露群と非曝露群の**罹患率の比**
- 寄与危険度：曝露群と非曝露群の**罹患率の差**
- 寄与危険割合：曝露群のうち何%が曝露によって疾患になったかを表す指標．**(相対危険度－1)÷相対危険度**，または寄与危険度÷曝露群の罹患率

例題

コホート研究で2つの集団を追跡し，喫煙と肺がんの関連について表に示す結果を得た．集団A，Bのそれぞれに対して相対危険度，寄与危険割合，寄与危険度を求めよ．

A

		疾患		
		－	＋	合計
要因，曝露	＋	95	5	100
	－	99	1	100

B

		疾患		
		－	＋	合計
要因，曝露	＋	50	50	100
	－	90	10	100

1）相対危険度

A (5/100)÷(1/100)＝5
B (50/100)÷(10/100)＝5
ともに相対危険度は5である．つまり，喫煙者は非喫煙者と比較して5倍肺がんに罹患しやすい．

CHECK! 相対危険度

曝露群と非曝露群の罹患率の比と覚えておく！

2）寄与危険割合

集団A，Bいずれでも喫煙者は非喫煙者に比べて5倍肺がんになりやすいという結果が得られた．
集団Aでは非喫煙者でも1人が肺がんになっている．喫煙者が全員たばこをやめても集団Aで1人は肺がんになる．喫煙者で肺がんになった人のうち，たばこによって肺がんになった人は5−1の4人，よって寄与危険割合は4÷5×100(%)＝80%
喫煙者のうち，たばこによって肺がんになった人は80%である．
集団Bでも同じように計算して(50−10)÷50×100＝80%

喫煙	1	4
非喫煙	1	

3）寄与危険度

A　5/100－1/100＝0.04

B　50/100－10/100＝0.4

つまり，喫煙者が全員たばこをやめると，喫煙者で肺がんになる人が A では 4%，B では 40% 減る．

曝露群と非曝露群の罹患率の差

寄与危険度は罹患率の影響を受けるため，相対危険度が同じでも寄与危険度は異なる結果になる．

4）寄与危険割合の別解

寄与危険度÷曝露群の罹患率でも求めることができる．

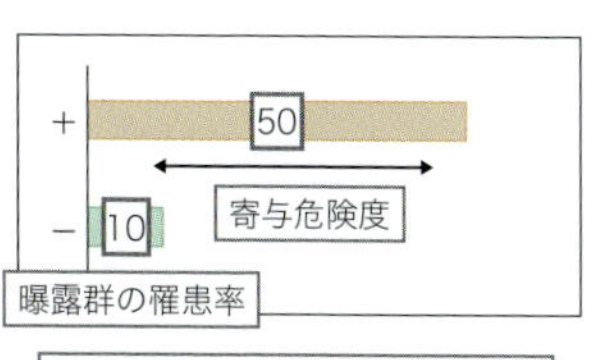

寄与危険度 ÷ 曝露群の罹患率
たばこによって肺がんになった人
40÷50＝80%

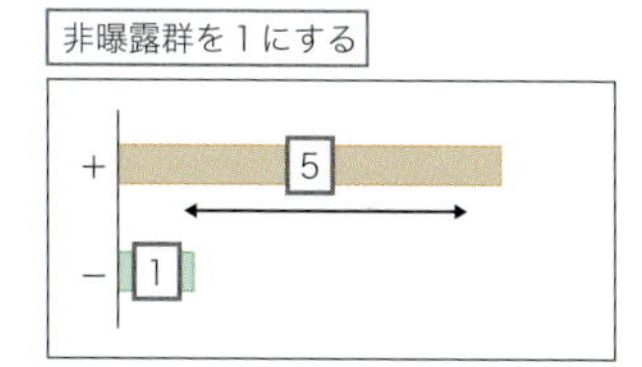

非曝露群を１にする
比：50%÷10%＝5……相対危険度
（相対危険度－1）÷ 相対危険度
（5－1）÷5＝80%

コラム：寄与危険度の解釈

たばこを吸っている人が全員たばこをやめるとどれだけ肺がんが減るか？例題の集団 A では喫煙者の 4%，集団 B では喫煙者の 40%が肺がんにならない．

このように寄与危険度は減少すると予想される実数を算出できるため，政策上重要な指標となる．そのため，相対危険度は個人のための指標，寄与危険度は公衆衛生のための指標とされている．

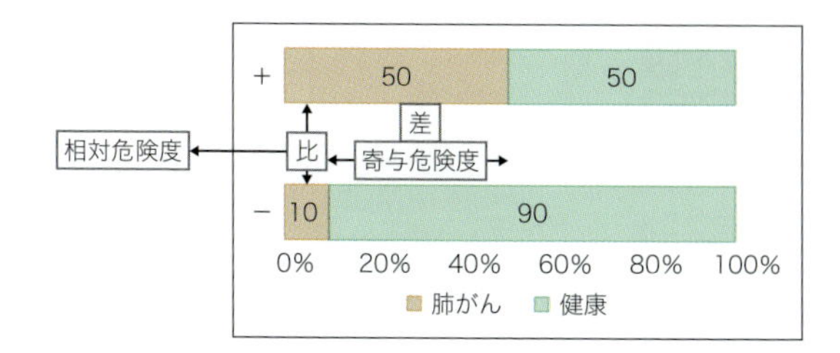

C 症例対照研究の疫学指標

要因による発症の危険度

・**オッズ比**：事象が起こった人数と起こらなかった人数の比　よくでる

起こる確率÷起こらない確率

		疾病	
		＋	−
曝露	＋	Ⓐ	Ⓑ
	−	Ⓒ	Ⓓ

表の縦横（曝露と疾病）が逆になっても計算結果は同じ！

$$\text{オッズ比} = \frac{Ⓐ \times Ⓓ}{Ⓑ \times Ⓒ}$$

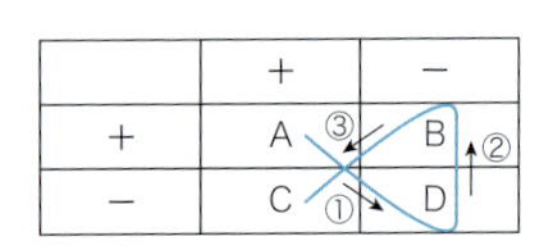

CHECK!　オッズ比の計算

表の＋，−を確認した後，たすき掛け

例　題

喫煙と歯周病との関連を調査した結果を表に示す．喫煙のオッズ比を求めよ．

表が提示されていればそのまま公式をあてはめればよい．

	歯周病	
	＋	−
喫煙者	50	10
非喫煙者	20	20

＋，−を確認した後，たすき掛け

$$\text{オッズ比} = \frac{50 \times 20}{10 \times 20} = 5$$

答．5

例　題

3歳児歯科健康診査において，う蝕のある者200人とう蝕のない者200人についてフッ化物歯面塗布の経験を調べたところ，それぞれ25%と40%であった．フッ化物歯面塗布経験のう蝕に対するオッズ比を求めよ．

まずは表を作成する．

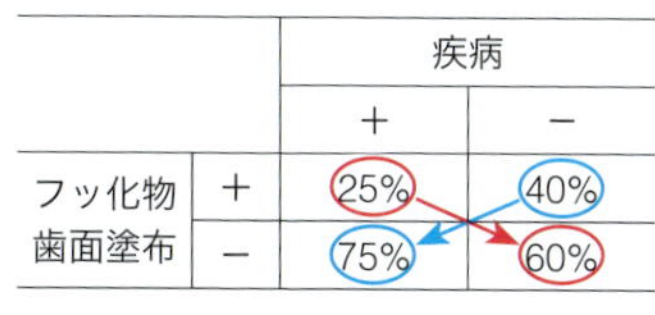

		疾病	
		＋	－
フッ化物歯面塗布	＋	25%	40%
	－	75%	60%

う蝕のある者，ない者とも200人で同じなので実際の人数は計算しなくてよい

$$\text{オッズ比} = \frac{25 \times 60}{40 \times 75} = 0.5$$

答．0.5

相対危険度，オッズ比は要因による発症の危険度を示すため通常は1以上になるが，予防介入の有無では通常1以下になる．

Ⅷ．根拠に基づいた医療（evidence based medicine：EBM）

A　EBMの手順（5つのStep）

Step 1	目の前の患者についての問題を定式化
Step 2	定式化した問題を解決する情報の検索
Step 3	得られた情報の批判的吟味
Step 4	吟味された情報の患者への適用
Step 5	上記1～4のステップの評価

批判的吟味：論文の研究方法，対象者数などをチェックし，研究結果の妥当性を評価し，目の前の患者に研究結果を提供できるか評価することをいう．

B エビデンスのレベル

レベル	内容
1	ランダム化比較試験のメタ分析（システマティックレビュー）
2	ランダム化比較試験
3	コホート研究
4	症例対照研究
5	症例報告，症例集積研究（ケースシリーズ研究）
6	専門家の個人的意見，専門委員会の報告

エビデンスのレベルにはいくつかの分類があるが，この表の順で覚えておけばよい

有識者の意見，経験…とあればそれはEBMではない．

Ⅸ．メタ分析（メタアナリシス）

複数の研究結果を１つにまとめる統計手法

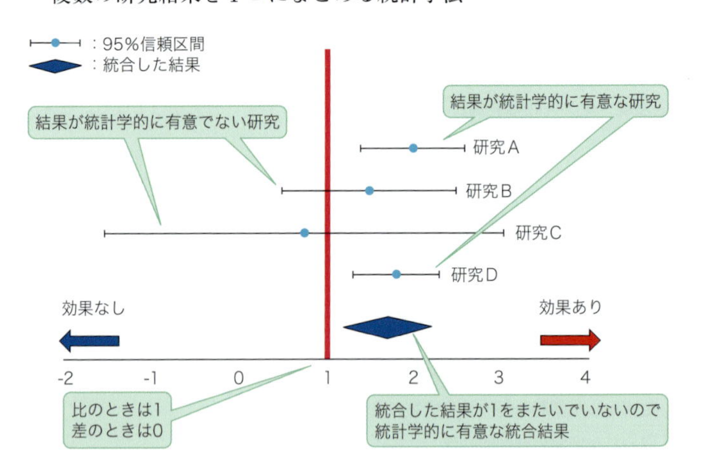

A メタ分析結果の読み方

- メタ分析は複数の研究データを統合し，分析し，総合的に結論を導く．
- 図はフォーレストプロットとよばれる．
- 個々の研究結果の相対危険度，オッズ比などが示されている．
- 個々の研究の95%信頼区間（平均値 ± 1.96 × 標準偏差）が **1 または 0**

をまたいでいるときは統計学的有意でないことを示している（効果指標が相対危険度，オッズ比のときは1，検査値などの差のときは0）.

・一番下の菱形は，それぞれの研究結果をメタ分析を用いてまとめたもの
➡この場合は1をまたいでいないので総合的には効果があることを示している.

・研究結果の種類によって基準が異なる.
①比のとき：1（リスク比，オッズ比）
②差のとき：0（治療効果による検査値の差，死亡率の差など）

B システマティックレビュー

・文献をくまなく調査してまとめた総説
・ランダム化比較試験（→ p.28 参照）のような質の高い研究のデータを，出版バイアスのようなデータの偏りを限りなく除き，メタ分析を行っていることが多い.

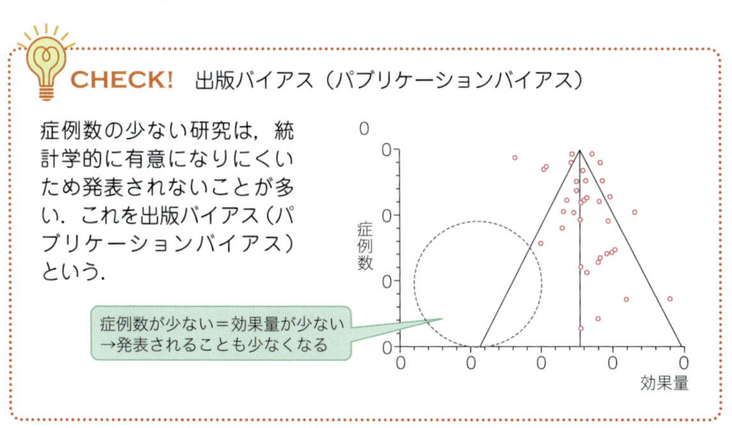

CHECK! メタ分析とシステマティックレビュー

・メタ分析：統計の手法
・システマティックレビュー：論文の種類

X．診療ガイドライン

・医療者と患者が**適切な判断**を下せるように支援することを目的として，診断，臨床上の疑問に対し，一般的な診断方法，治療方法をまとめたもの

標準的な診断方法，治療方法をまとめたもの

・EBM の手法に基づき作成され，エビデンスのレベルが記載されていることが多い．

・日本では各学会が作成し，患者が自由に閲覧できるようにインターネット上で公開されていることが多い．

・ガイドラインを遵守しなくても罰則はない．

XI．臨床疫学

・患者に対し，臨床データからさまざまな予測を行い，結果を検討すること

・臨床疫学の実践として臨床判断学があり，EBM の実践は臨床判断学に位置づけられている．

問題点の定式化

・患者の問題点を以下のように分けて整理する．

Patient：どのような患者に

Exposure（**I**ntervention）：どのような介入をしたら

Comparison：他の介入，介入しない場合と比べて

Outcome：どのような効果があるか

頭文字をとって PECO（PICO）という

・この整理した情報からコンピュータを用いて研究論文を検索し，論文の批判的吟味を行い，患者に適用する．

アウトカム：治療や予防による臨床上の成果．検査値の改善度，合併症の発生率，QOL の向上，死亡率，相対危険度（リスク比），オッズ比などの指標が用いられる．アウトカムは，地域保健活動などでも用いる．疾患の減少などの最終的な評価指標（健康教室の出席率などはアウトプット指標という）．

Chapter 4

スクリーニング検査

Check Point

・スクリーニングの指標を理解する.

Ⅰ. スクリーニングとは

・疾病をもつ可能性のある者をふるい分けし，精密検査などにより無症状で治療可能な早期の段階で発見することにより，疾病を治療あるいは最小限の被害に食い止める.

・**二次予防**の**早期発見**に相当する.

A スクリーニング検査の要件

・時間がかからない.

・安価である.

・侵襲性が低い.

・早期発見された場合，適切な治療法がある.

・スクリーニング検査陽性者に確定診断の方法がある.

・目的とする疾病が健康に重大な影響を及ぼす.

・目的とする疾病の有病率がある程度高い.

・**非常にまれな疾患をスクリーニングしようとすると，費用対効果分析，費用便益分析で効率が悪い.**

B スクリーニング検査の結果を陽性とする基準

①検査値がカットオフ値を超える場合

②**正常範囲（健常者の 95%**が含まれる範囲）に含まれない場合：血圧測定のように高すぎても低すぎても異常と判定されるような場合

キャリブレーション：検査者間の誤差を少なくするように検査者間ですりあわせをすること

Ⅱ．スクリーニング検査の基本

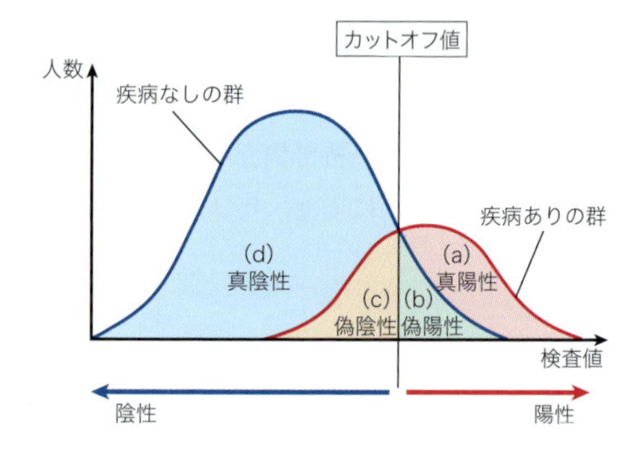

図，表の縦横，左右が入れ替わって出題されることもあるので，図と表をしっかり対応させて理解すること！

		疾病の有無		合計
		あり	なし	
検査結果	陽性（＋）	真陽性（a）	偽陽性（b）	a＋b
	陰性（－）	偽陰性（c）	真陰性（d）	c＋d
合計		a＋c	b＋d	

CHECK! カットオフ値

・検査の陽性，陰性を分ける値のこと
・基準値，スクリーニングレベルともいう．

CHECK!

真陽性＝疾病あり・検査陽性
偽陽性＝疾病なし・検査陽性
偽陰性＝疾病あり・検査陰性
真陰性＝疾病なし・検査陰性

1）感度（敏感度）

・**疾病のある**者を**疾病あり**と判定する確率

・$\frac{a}{a+c}$　高いほうがよい

2）特異度

・**疾病のない**者を**疾病なし**と判定する確率

・$\frac{d}{b+d}$　高いほうがよい

3）偽陽性率

・疾病のない者を疾病ありと判定する確率

・$\frac{b}{b+d}=1-$特異度　低いほうがよい

4）偽陰性率

・疾病のあるものを疾病なしと判定する確率

・$\frac{c}{a+c}=1-$感度　低いほうがよい

5）陽性的中率

・検査陽性者のうち，正しく疾病のある者を判定する確率

・$\frac{a}{a+b}$　高いほうがよい

6）陰性的中率

・検査陰性者のうち，正しく疾病のないものを判定する確率

・$\frac{d}{c+d}$　高いほうがよい

Ⅲ. ROC 曲線

ROC 曲線は，複数の検査を比較する場合，カットオフ値を設定する場合などに用いられる．

・**縦軸は感度（敏感度），横軸は偽陽性率（1 －特異度）**を表す．

・ROC 曲線の**下の面積が広いほど，有用性の高い検査**である．

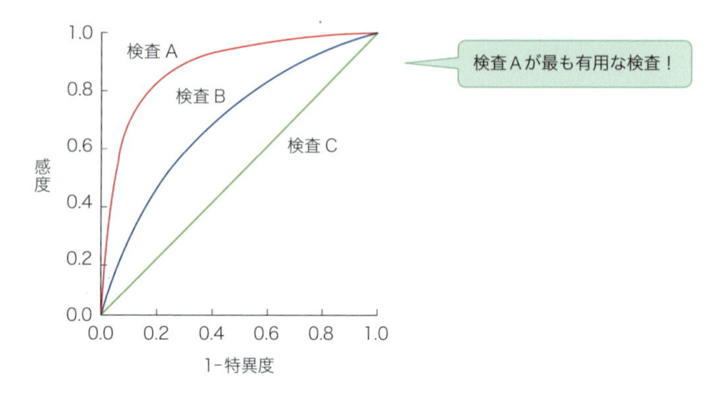

Ⅳ. スクリーニング検査の応用

A カットオフ値の変化

1）感度を高くすると…

・特異度➡低くなる．

・偽陽性率➡高くなる．

・偽陰性率➡低くなる．

2）特異度を高くすると…

・感度➡低くなる．

・偽陽性率➡低くなる．

・偽陰性率➡高くなる．

3）疾病であることを否定したいとき

感度の高い検査を用いる．

4）疾病であることを確定したいとき

特異度の高い検査を用いる.

CHECK! 致命率が高い疾病

致命率が高い疾病では感度を優先する.

B 有病率の変化

1）有病率が変化しても変わらないもの

・感度，特異度➡変わらない.

2）有病率が高くなると…

・陽性的中率➡高くなる.

・陰性的中率➡低くなる.

3）有病率が低くなると…

・陽性的中率➡低くなる.

・陰性的中率➡高くなる.

C 尤(ゆう)度比

$$陽性尤度比 = \frac{感度}{1-特異度}$$

$$陰性性尤度比 = \frac{特異度}{1-感度}$$

・通常，尤度比とあれば陽性尤度比を意味する.

・書籍によっては（1 −特異度）／感度を陰性尤度比としているものがある.

・尤度比は有病率 50％のときの値を示しており，検査に特有の値である. 尤度比と有病率がわかると陽性的中率，陰性的中率が計算できる.

Chapter 5

統計解析

Check Point

・変数の種類（質的変数，量的変数）の見分け方，正規分布の性質，検定方法を理解する．

Ⅰ．尺度と変数

尺度		変数
名義尺度	性別，氏名，血液型など　分類のみ	質的変数（離散変数）
順序尺度	順位, CPI など. 順番が決まっているが等間隔でない	
間隔尺度	温度など．原点が任意	量的変数（連続変数）
比尺度	重さ，長さ，金銭など．原点が一意	

・統計学では大まかに名義尺度と順序尺度が質的変数に，間隔尺度と比尺度が量的変数に分類される．

・順序尺度は加減乗除（＋，－，×，÷）ができない．

例）1 位と 2 位の平均を 1.5 位とはいわない．

例）CPI の平均値を計算してはいけない．

・間隔尺度は乗除（×，÷）ができない．

例）20℃は 10℃の 2 倍暑いとはいわない．

Ⅱ．集団の代表値

平均値	算術平均	全部のデータを足し合わせて，データの数で割った値
	幾何平均	全部のデータをかけ合わせて，データの数の累乗根（数値がn個ならn乗根）の値
	調和平均	速さの平均など算術平均の逆数
中央値		データを小さい順に並べたとき中央に位置する値 データの個数が偶数の場合，中央に位置する2つの値の平均値
最頻値		最も頻繁に出現する値
分散		各変数が平均値からどれだけ散らばっているかを示す値
標準偏差		分散の平方根（不偏分散の平方根）
変動係数		標準偏差を平均値で割った量

例　題

度数分布表を示す．平均値，中央値，最頻値を求めよ．

DMF歯の合計	0	1	2
人数	23	17	5

平均値：(0×23＋1×17＋2×5)÷(23＋17＋5)＝0.6
中央値：45人の中央は23人目⇒0
最頻値：0

分散：$[(0-0.6)^2\times23+(1-0.6)^2\times17+(2-0.6)^2\times5]\div(45-1)=0.47$
標準偏差：$\sqrt{0.47}=0.69$

答．平均値0.6，中央値0，最頻値0

Ⅲ．度数と累積度数

例）テストの点数と人数を示した表

点数	度数（人）	累積度数（人）
～70	10	10
71～80	15	25
81～90	20	45
91～100	10	55

10＋15
10＋15＋20
10＋15＋20＋10

1）度数

各階級に含まれるデータ数

2）度数分布

度数をグラフ化したもの

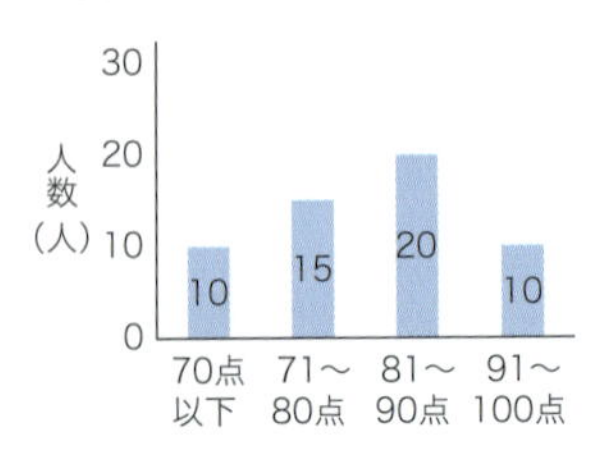

3）累積度数

各階級に対する，その階級までの度数の総和

4）累積度数分布

・度数を積み上げたもの，累積度数をグラフ化したもの．

・累積度数分布は減ることがない．

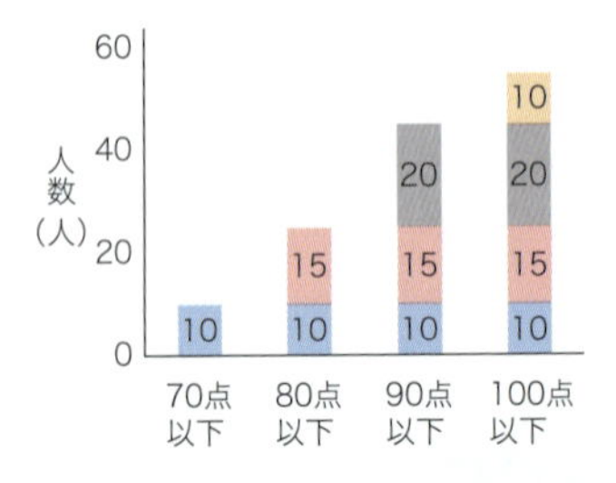

Ⅳ．分　布

分布にはさまざまな種類があるが，統計学的検定（→ p.49 参照）では，正規分布に従うか否かで検定方法が異なるため，正規分布の性質を理解しておけばよい．

A 正規分布

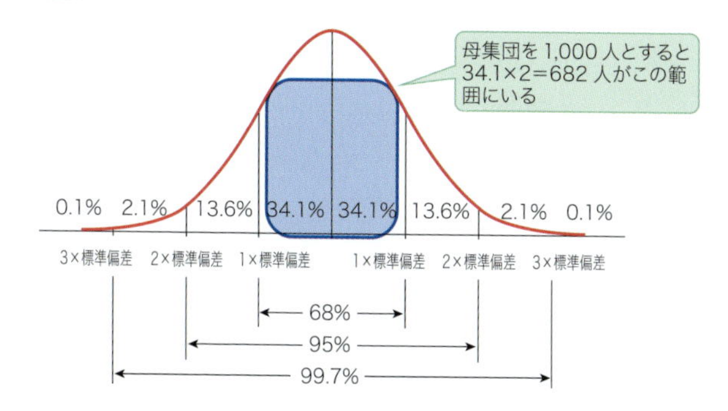

1）正規分布の性質

①自然界に多い代表的な分布

②**左右対称**

③**平均値，中央値，最頻値が一致する**.

④正規確率紙にプロットすると直線になる.

⑤**平均値 ±1× 標準偏差に 68%，平均値 ±2× 標準偏差に 95%，平均値 ±3× 標準偏差に 99.7%**が含まれる.

⑥累積度数分布は S 字状になる.

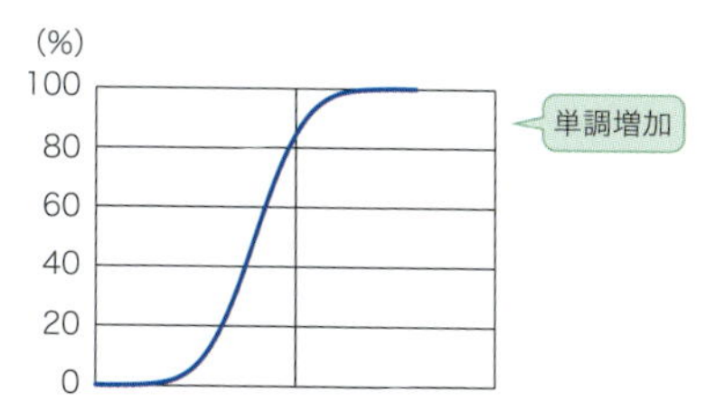

正規分布の累積度数分布

2）標準正規分布

平均値 0，分散，標準偏差 1 の正規分布

3）正規分布に従わない分布の例

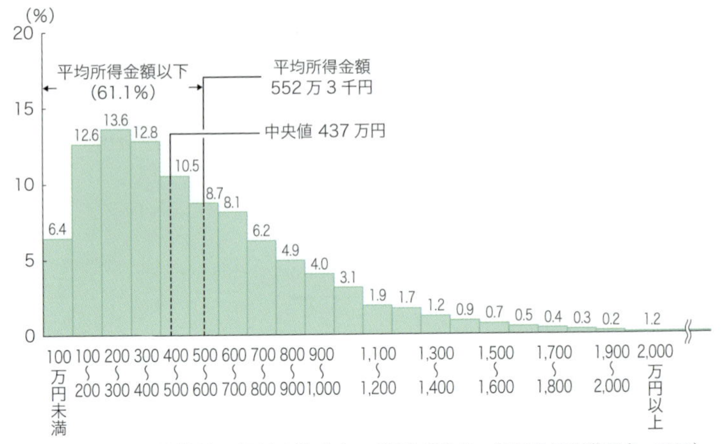

所得金額階級別世帯数の相対度数分布　（厚生労働省，国民生活基礎調査，2019）

- 平均値，中央値，最頻値が一致しない．
- 図のような分布を通称で「右に裾を引く分布」といい，この場合，平均値＞中央値＞最頻値となる．

B 正規分布以外の分布

1）離散分布

二項分布，ポアソン分布など

発現頻度が少ない現象はポアソン分布に従う．日本では小児のう蝕（def，dmf）は頻度がまれなので，正規分布ではなくポアソン分布に従うとされている．

2）連続分布

指数分布など

3）標本分布

χ^2 分布，t 分布，F 分布

統計解析

V．統計学的検定

A 統計学的検定の原理

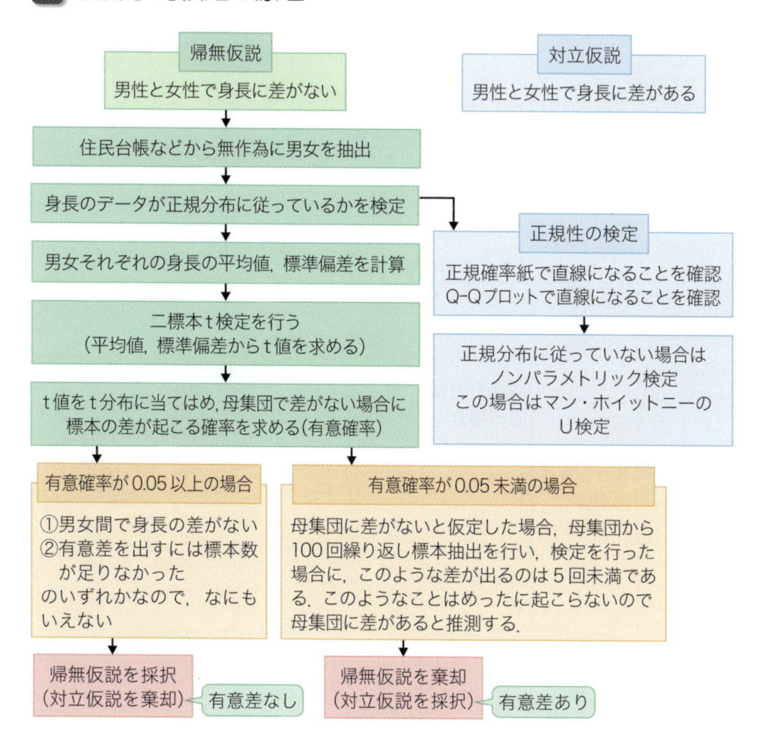

95％の確率で母集団に差があるとしている．逆に5％の確率で母集団に差がないのに差があるという誤りを犯す．これを第一種の過誤という．

第一種の過誤：母集団に差がないのに差があるとする誤り．帰無仮説が正しいのに帰無仮説を棄却，対立仮説を採択

第二種の過誤：母集団に差があるのに差がないとする誤り．対立仮説が正しいのに帰無仮説を採択，対立仮説を棄却

B 統計学的検定方法の選択

検定方法の選択は変数のタイプの組み合わせ，正規分布に従うか，質的変数が何種あるかで決まる．

<table>
<tr><th></th><th>例</th><th>検定方法</th><th>表現方法</th></tr>
<tr><td>質的変数と質的変数</td><td>男女と歯周病の有無</td><td>カイ二乗検定
（χ^2 検定）</td><td><table><tr><th></th><th>男性</th><th>女性</th></tr><tr><td>歯周病あり</td><td>15 人</td><td>20 人</td></tr><tr><td>歯周病なし</td><td>10 人</td><td>5 人</td></tr></table></td></tr>
<tr><td>量的変数と量的変数</td><td>身長と体重の関係</td><td>相関分析
（ピアソンの相関係数）</td><td>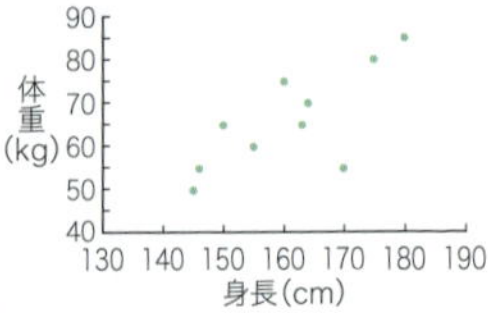
</td></tr>
</table>

<table>
<tr><th></th><th>例</th><th colspan="2">検定方法</th><th>表現方法</th></tr>
<tr><td rowspan="2">質的変数が2値</td><td rowspan="2">男女と身長の関係</td><td>正規分布に従う場合</td><td>（二標本）t 検定</td><td>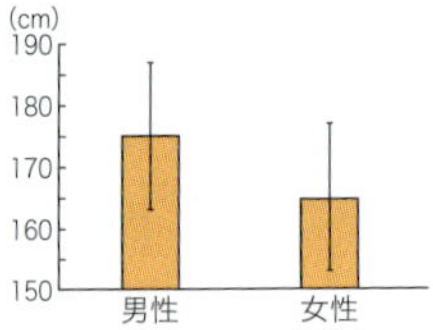
</td></tr>
<tr><td>正規分布に従わない場合</td><td>マン・ホイットニーの U 検定</td><td>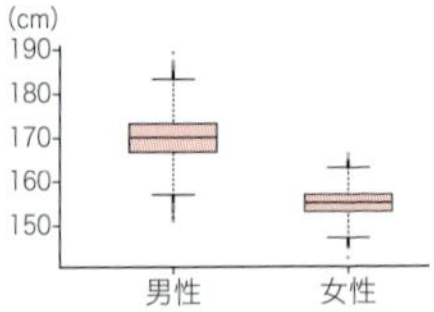
</td></tr>
<tr><td rowspan="2">質的変数が3種類以上</td><td rowspan="2">血液型と身長の関係</td><td>正規分布に従う場合</td><td>一元配置分散分析（One way ANOVA, F検定）</td><td>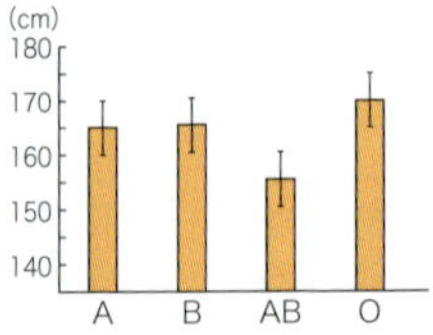
</td></tr>
<tr><td>正規分布に従わない場合</td><td>クラスカル・ウォリス検定</td><td>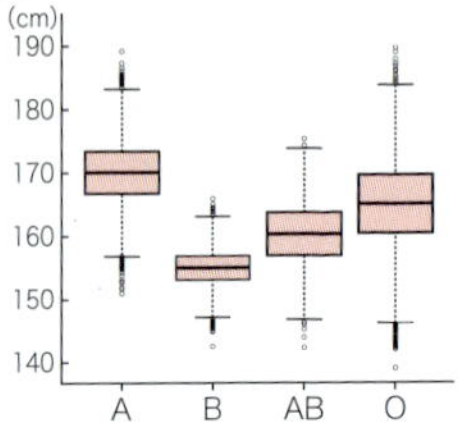
</td></tr>
</table>

正規分布に従わない場合は平均値，標準偏差を図示する意味がないことがあるため箱ひげ図で表す．

C 相関係数（量的変数と量的変数の関係）

・相関係数の性質：−1 から 1 までの値

・1 に近いほど正の相関

・−1 に近いほど負の相関

・0 に近いほど相関がない

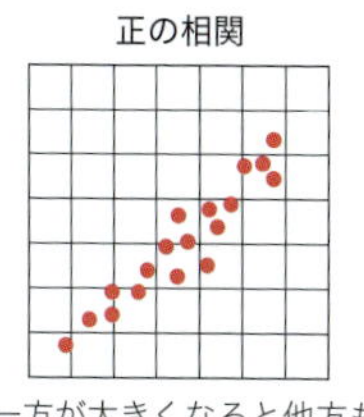

一方が大きくなると他方も大きくなる直線的な傾向

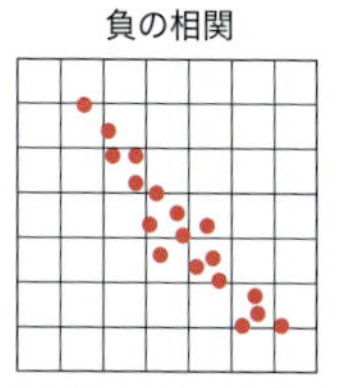

一方が大きくなると他方は小さくなる直線的な傾向

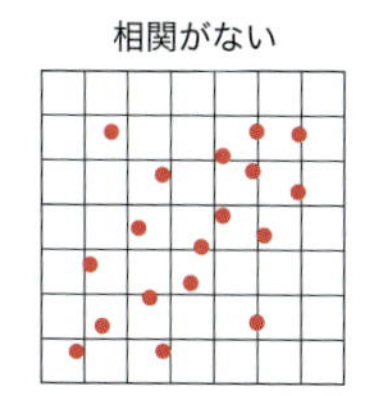

点のちらばりに傾向がない

Ⅵ．標本抽出法

・調査では母集団の全体を調べることが不可能な場合が多い．そのため母集団の一部を抽出し，母集団の性質を推定することが多い．偏った標本にならないように抽出方法が決まっている．

・母集団から標本を選ぶことを**サンプリング**という．

（単純）無作為抽出	無作為に母集団から抽出（乱数表を使用）
系統抽出法	はじめの 1 つを無作為に抽出後，等間隔に抽出
層化抽出法	各部分母集団（層）ごとにサンプルを抽出
多段抽出法	無作為抽出を何段階かに分けて行う方法
集落抽出法	多くの集落から一部の集落を抽出し，抽出した集落全体を調べる．

無作為抽出と無作為割り付けは異なる．

Ⅶ. 誤差，バイアス，交絡因子

1）誤差とバイアス

・測定値には必ず誤差が含まれる．

・繰り返し測定を行った場合，測定ごとにばらつく誤差のことを偶然誤差という．

・「真の値」に対して系統的にずれて測定されるような誤差を，系統誤差（バイアス）という．

種類	特徴
選択バイアス	実際に観察する集団が，本来目的とする集団，母集団の正しい代表ではなく，特定の傾向，特性，方向性をもった集団であるときに起こる偏り
情報バイアス	実際に観察を行う集団について，情報を得るときにその情報が正しくないために起こる偏り
交絡バイアス（交絡因子）	研究対象となっている因子への曝露が，研究対象となっている結果に影響を与える別の因子への曝露と関連すること
リコールバイアス	症例対照研究での情報バイアス．思い出しバイアスともよばれる．

症例対照研究がコホート研究と比較して情報の信頼性が低下するのは，リコールバイアス（思い出しバイアス）が生じるためである．

2）交絡因子

調査対象とする因子以外の因子で，疾病の発生に影響を与えるものを交絡因子という．

交絡因子の調整法

無作為割り付け	ランダム化比較試験で用いる．無作為割り付けによって介入群と対照群の背景にもつ因子が均等になる．
マッチング	症例対照研究で用いる．結果に影響すると思われる因子をそろえておく． 例）症例群と対照群の年齢，性別などをそろえる．
層化	分析の段階で男女別，年齢層別などのグループに分けて解析する．
多変量解析	統計手法を用いて交絡因子の影響を除くことができる．

交絡因子の例

例）歯周病と性別の関係
①男性のほうが女性より歯周病になりやすい（見かけ上の相関）
②男性のほうが女性より喫煙率が高い（相関関係）
③喫煙者は歯周病になりやすい（因果関係）

これを図にすると下のようになる．

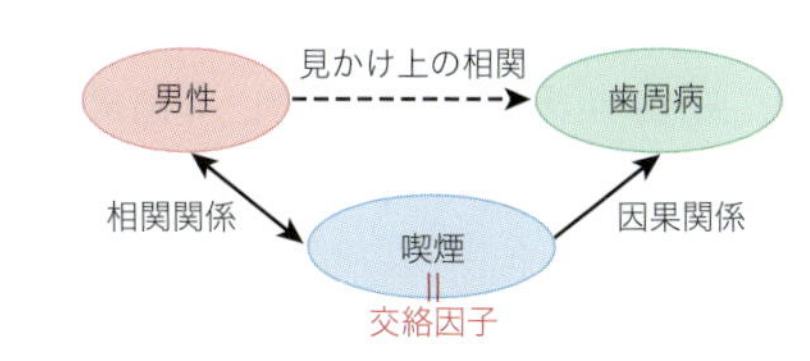

男性という性別が歯周病の原因になるわけではない（原因と結果の関係ではない）が，関係があるようにみえる．しかし歯周病の本当の原因は喫煙である．

交絡因子は，見かけ上の相関を生じる因子（ここでは男性）と関係があり，結果（歯周病）に影響を与える因子で，この場合は喫煙である．

Ⅷ．因果関係の成立

1）因果関係の判断基準（Hill の基準）

原因と結果の関係が成り立っているかを判断する基準

①関連の強固性：高い相対危険度が多くの研究で示されている．

②量－反応関係：要因のレベルに応じて疾患リスクが増加する．

③関連の一致性：多くの疫学研究で同様の結果が得られている．

④関連の特異性：要因のない状態では発症リスクが十分に低い．

⑤**関連の時間性：要因と結果の間の時間的前後関係が矛盾しない（因果関係が成立するための必要条件）**．

⑥関連の整合性：発症メカニズムについて納得のいく説明が可能である．

歯科医師以外の国試では Hill の基準が単独で出題されている．

Chapter 6
人口統計

Check Point

・人口静態統計（人口構成，人口静態統計の指標，これらの推移）と人口動態統計（死因，悪性新生物の部位別の死因，年齢調整死亡率，母子保健統計，出生の統計）の区別を理解する．
・人口統計は覚えることが多く全体像がつかみにくいので，整理してから覚える．
・直近の値は厚生労働省のホームページなどでチェックしておく．

Ⅰ．人口静態統計，人口動態統計の概要

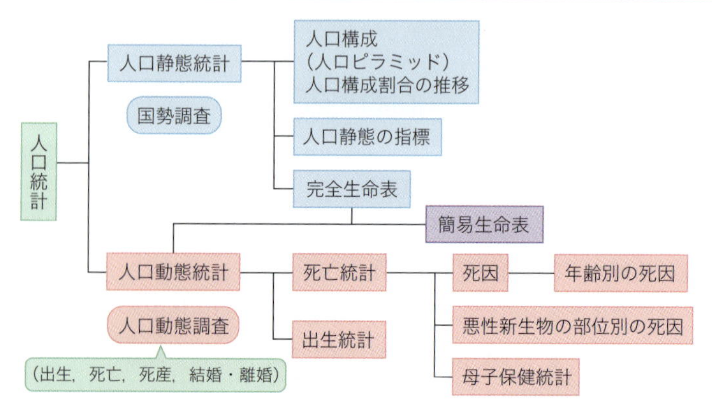

	人口静態統計	人口動態統計
調査	国勢調査（総務省，5年に一度）	人口動態調査 （厚生労働省，毎月，毎年）
根拠法	統計法，国勢調査令	統計法，戸籍法
統計の種類	基幹統計	
項目	性別，年齢，職業，世帯，住居	出生，死亡，死産，結婚・離婚

移動，入国・出国などは人口動態に含まれるが，人口動態統計の調査項目は出生，死亡，死産，結婚・離婚の 4 項目のみである．

人口動態調査

①人口動態統計月報（概数）——月単位で集計
②人口動態統計月報年計（概数）の概況
③人口動態統計の年間推計
④人口動態統計（確定数）の概況
（②～④）年単位で集計
の 4 種類があり，これらをあわせて人口動態調査としている．

Ⅱ．人口静態統計

A 人口構成（人口ピラミッド）

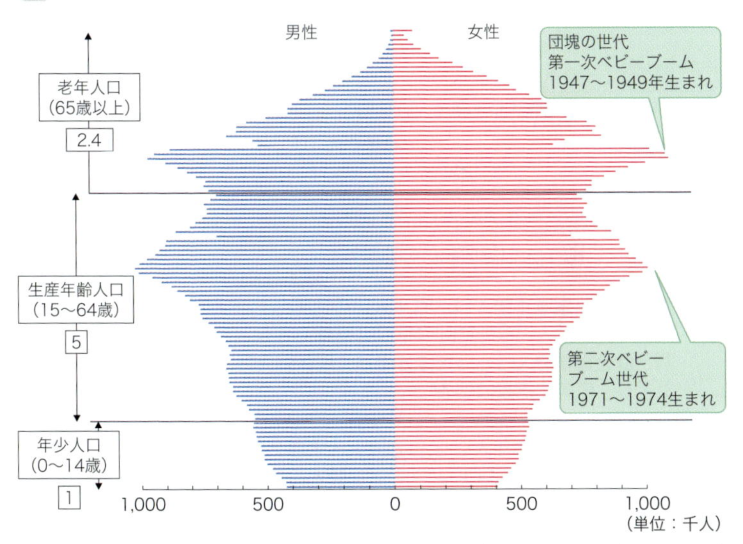

（総務省統計局，人口推計，人口推計の結果の概要，各年 10 月 1 日現在人口，2020）

（2021 年）

	年齢	人数	割合	比
年少人口	15 歳未満	1,478 万 4 千人	11.8%	1
生産年齢人口	15 歳以上 64 歳以下	7,450 万 4 千人	59.4%	5
老年人口	65 歳以上	3,621 万 4 千人	28.9%	2.4
総人口		1 億 2,550 万人		

（総務省統計局，人口推計，2021 年 10 月推計値）

B 人口静態統計の指標

	式	概算式と正確な値（2021 年）	
年少人口割合	年少人口÷総人口×100	1÷8.4×100	11.8
生産年齢人口割合	生産年齢人口÷総人口×100	5÷8.4×100	59.4
老年人口割合	老年人口÷総人口×100	2.4÷8.4×100	28.9
従属人口割合	(年少人口＋老年人口)÷総人口×100	3.4÷8.4×100	40.6
年少人口指数	年少人口÷生産年齢人口×100	1÷5×100	19.8
老年人口指数	老年人口÷生産年齢人口×100	2.4÷5×100	48.6
従属人口指数	(年少人口＋老年人口)÷生産年齢人口×100	(1＋2.4)÷5×100	68.5
老年化指数	老年人口÷年少人口×100	2.4÷1×100	245

例外！

（総務省統計局，人口推計，2021 年 11 月確定値）

CHECK! 人口静態統計の概算法

- 年少人口，生産年齢人口，老年人口の比率（1:5:2.25，2018 年）を覚えておけば人口静態統計の指標は概算できる．
- 割合は分母が総人口，指数は分母が生産年齢人口
- ただし，老年化指数は例外

例）

比率で計算する！

- $老年人口割合 = \frac{老年人口}{総人口} \times 100 = \frac{老年人口\ (2.4)}{総人口\ (1+5+2.4)} \times 100$
- $従属人口指数 = \frac{(年少人口+老年人口)}{生産年齢人口} = \frac{(1+2.4)}{5}$

従属人口： 15 歳未満の年少人口と 65 歳以上の老年人口を足したもの．
総人口＝生産年齢人口＋従属人口

C 人口ピラミッドの型

人口ピラミッドの型	特徴
富士山型（ピラミッド型）	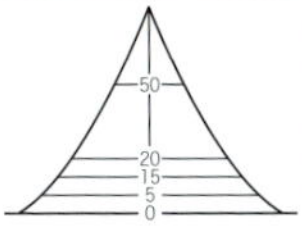 多産・多死，発展途上国
釣り鐘型（ベル型）	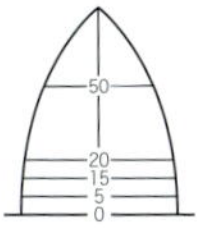 人口安定
つぼ型	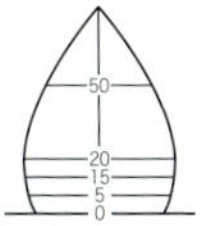 人口減少，日本 低出生
星型	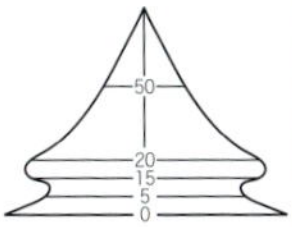 都市型 生産年齢人口流入 (若者が多い)
ひょうたん型	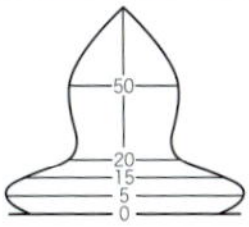 農村型 生産年齢人口流出 (若者が少ない)

D 日本の人口ピラミッドの推移

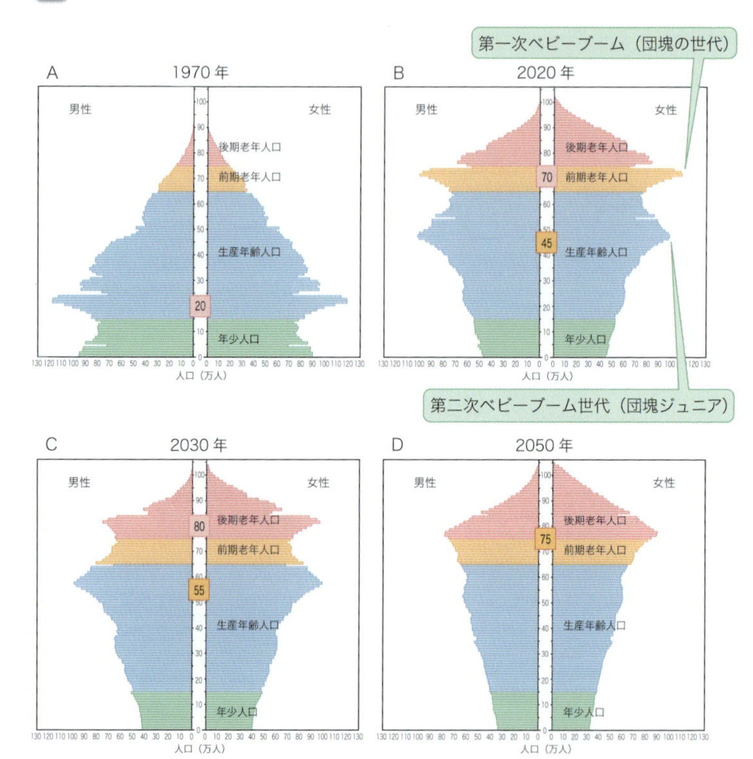

コラム：人口ピラミッドの年代を見分けるには，団塊の世代と団塊ジュニアに注目する！

上の A〜D の図のうち，B しか年代がわからないとした場合，
B の 2020 年では団塊の世代は約 70 歳．
A では団塊の世代が 20 歳なので，2020－(70－20)＝1970 年とわかる．
C では団塊の世代が 80 歳なので，2020＋(80－70)＝2030 年とわかる．
一方，D では団塊の世代が存在しないため，第二次ベビーブーム世代（団塊ジュニア）に注目する．B では第二次ベビーブーム世代は 45 歳で，D では 75 歳．
よって 2020＋(75－45)＝2050 年とわかる．

E 人口静態統計の指標の推移・予測

1）人口の推移

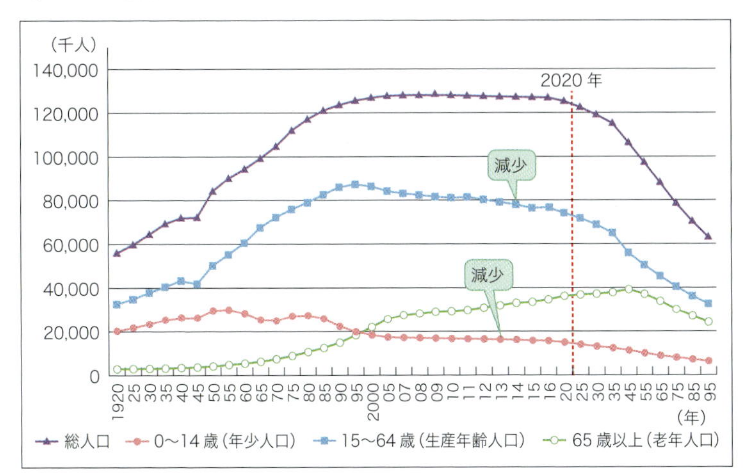

（国立社会保障・人口問題研究所ホームページ，将来推計人口・世帯数）

2）割合の推移

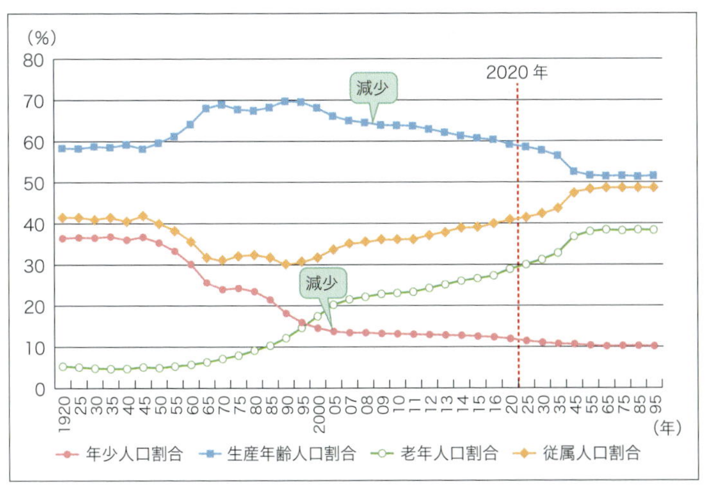

（国立社会保障・人口問題研究所ホームページ，将来推計人口・世帯数）

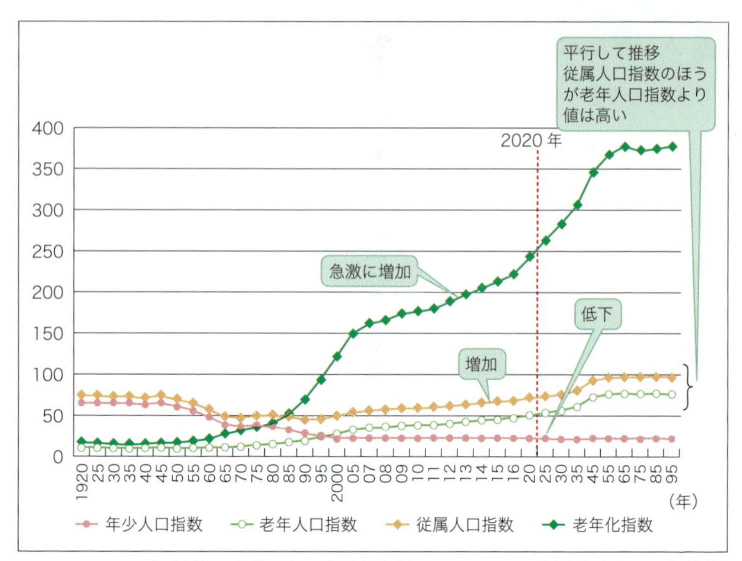

（国立社会保障・人口問題研究所ホームページ，将来推計人口・世帯数）

CHECK!

・老年化指数は急激に増加
・近年，減少傾向にあるのは
　年少人口，生産年齢人口
　年少人口割合，生産年齢人口割合
　年少人口指数

CHECK!　高齢化社会と超高齢化社会

・ 高齢化率 ：老年人口割合のこと
・高齢化率によって以下に分類される．
　① 高齢化社会 ：7 〜 14%
　② 高齢社会 ：14 〜 21%
　③ 超高齢社会 ：21% 以上
　日本は超高齢社会である．

Ⅲ. 人口動態統計

・死亡統計には，死因の順位，死因別の粗死亡率，年齢調整死亡率がある．

・悪性新生物は部位別の粗死亡率，年齢調整死亡率がある．

A 死亡統計

1）死因の順位 

1位	悪性新生物	5位	肺炎
2位	心疾患（高血圧を除く）	6位	誤嚥性肺炎
3位	老衰	7位	不慮の事故
4位	脳血管疾患	8位	腎不全

（厚生労働省ホームページ，令和2年(2020)人口動態統計月報年計（概数）の概況）

2）死因別の粗死亡率

2017年に「肺炎」が急減したのは「誤嚥性肺炎」を独立して集計するようになったため

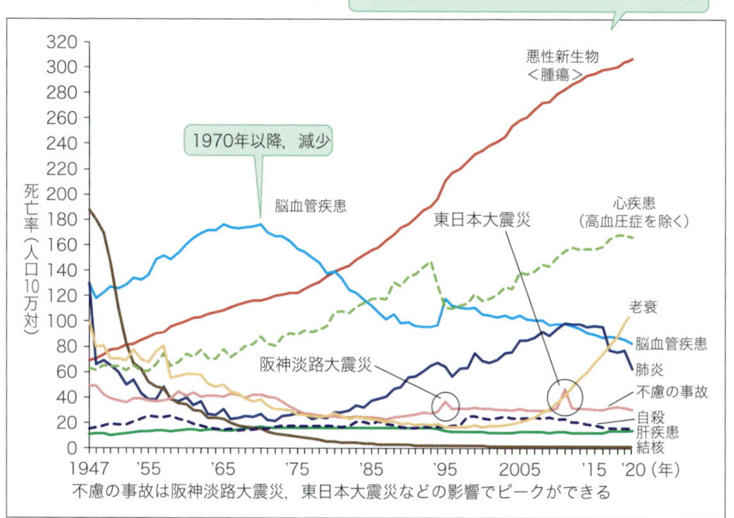

主な死因別にみた死亡率（人口10万対）の年次推移

（厚生労働省ホームページ，令和2年(2020)人口動態統計月報年計（概数）の概況）

3）年齢調整死亡率（男女別）

・人口の年齢比率を 1985（昭和 60）年の人口比率にあわせて死亡率を計算したもの

・人口動態統計調査特殊報告による．

・直近は 2016 年

特徴：脳血管疾患は大きく減少
悪性新生物は横ばい
心疾患は横ばい

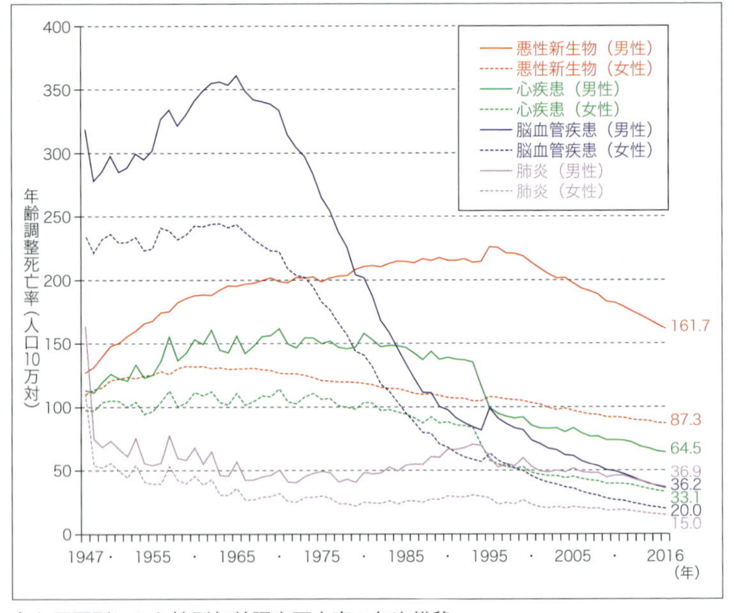

主な死因別にみた性別年齢調査死亡率の年次推移
（厚生労働省ホームページ，平成 30 年我が国の人口動態，平成 28 年までの動向）

コラム：年齢調整後の推移

日本では高齢化により粗死亡率は増えている．また，悪性新生物の粗死亡率も増えているが悪性新生物の年齢調整死亡率は増えていない．これは，今は多くの高齢者が悪性新生物で死亡しているが，高齢者が今ほど多くない 1985 年の人口比率にあわせると悪性新生物による死亡率が大きく変化していないことを示している．

年齢別死因

年齢階級（歳）	死因		
	第 1 位	第 2 位	第 3 位
0	先天奇形，変形および染色体異常	周産期に特異的な呼吸障害等	不慮の事故
1 ～ 4	先天奇形，変形および染色体異常	不慮の事故	悪性新生物
5 ～ 9	悪性新生物	不慮の事故	先天奇形等
10 ～ 14	悪性新生物	自殺	不慮の事故
15 ～ 19	自殺	不慮の事故	悪性新生物
20 ～ 24	自殺	不慮の事故	悪性新生物
25 ～ 29	自殺	悪性新生物	不慮の事故
30 ～ 34	自殺	悪性新生物	不慮の事故
35 ～ 39	自殺	悪性新生物	心疾患
40 ～ 44	悪性新生物	自殺	心疾患
45 ～ 49	悪性新生物	自殺	心疾患
50 ～ 54	悪性新生物	心疾患	自殺
55 ～ 59	悪性新生物	心疾患	脳血管疾患
60 ～ 64	悪性新生物	心疾患	脳血管疾患
65 ～ 69	悪性新生物	心疾患	脳血管疾患
70 ～ 74	悪性新生物	心疾患	脳血管疾患
75 ～ 79	悪性新生物	心疾患	脳血管疾患
80 ～ 84	悪性新生物	心疾患	脳血管疾患
85 ～ 89	悪性新生物	心疾患	老衰
90 ～ 94	心疾患	老衰	悪性新生物
95 ～ 99	老衰	心疾患	肺炎
100 ～	老衰	心疾患	肺炎

（厚生労働省ホームページ，令和 2 年(2020) 人口動態統計月報年計（概数）の概況）

CHECK! 年齢階級別の死因

・0～4歳の1位：先天奇形
・29歳以下：不慮の事故が多い
・15～39歳の1位：自殺
・40歳代の2位：自殺
・40～89歳の1位：悪性新生物
・90～94歳の1位：心疾患

0～4歳の1～3位はしっかり覚えること！

B 悪性新生物の部位別の粗死亡率と年齢調整死亡率

・2009年までは厚生労働省，それ以降はがん登録制度により国立がん研究センターが集計している．

・国立がん研究センターのホームページで最新情報が得られる．

1）部位別の粗死亡率

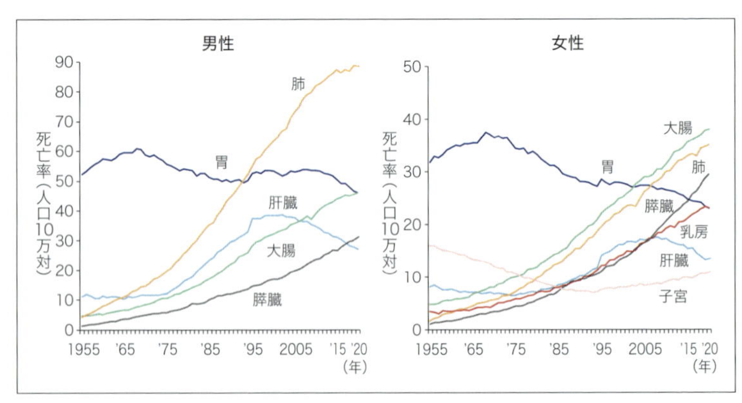

悪性新生物の主な部位別粗死亡率（人口10万対）の年次推移
（厚生労働省ホームページ，令和2年(2020)人口動態統計月報年計（概数）の概況）

CHECK!

男女ともに
・胃は減少傾向
・肝臓は近年減少傾向
・肺，大腸は増加傾向

2）年齢調整死亡率

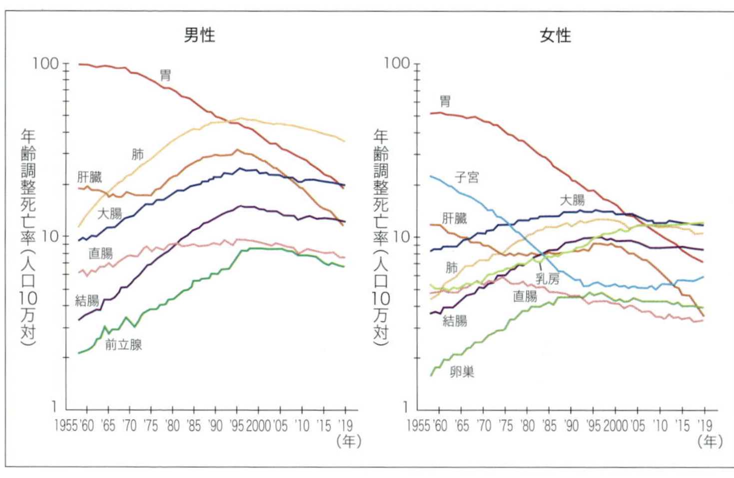

（国立がん研究センターホームページ：がん情報サービス，がん登録・統計）

男女ともに
- 胃は減少傾向
- 肝臓は近年減少傾向
- 肺，大腸は増加傾向
- 子宮は減少後，横ばい．近年増加
- その他のがんは増加したが，近年は横ばい

C 母子保健統計

早期新生児	生後1週未満	早期新生児死亡率	生後1週未満の死亡数／出生数×1,000
新生児	生後4週未満（約1か月）	新生児死亡率	生後4週未満の死亡数／出生数×1,000
乳児	生後1年未満	乳児死亡率	生後1年未満の死亡数／出生数×1,000
周産期	妊娠22週以降	周産期死亡率	(妊娠22週以降の死産数＋早期新生児死亡数)／(妊娠22週以降の死産数＋出生数)×1,000
		死産率	死産数／出産数*×1,000
		妊産婦死亡率	妊産婦死亡数／出産数*×10万

* 出産数＝出生数＋死産数

D 出生統計

（2020年）

出生数	84万人	
死亡数	137万人	
合計特殊出生率（粗再生産率）	1.34	母の年齢別出生数／同年齢の女子人口
総再生産率（1人の女性が産む女児の数で算出）		母の年齢別女児出生数／同年齢の女子人口
純再生産率（産まれた女児が母になる数で算出）		(母の年齢別女児出生数／同年齢の女子人口)×(同年齢の定常人口／10万人)

1人の女性が産む子どもの数で，2.1を下回ると人口が減少する

1を下回ると人口が減少する

CHECK! 再生産率指標

将来の総人口を予測するためのもの
- 合計特殊出生率（粗再生産率）
- 総再生産率
- 純再生産率

Chapter 7

保健統計

Check Point

- 保健統計は最新のデータを把握して理解する．
- p.192 の URL で最新データを把握する．
- 各調査ごとに有訴者率，受療者などの独特の用語を理解する．

I．保健統計の概要

調査名	種類	調査周期	調査内容	調査対象	備考	実施
国勢調査	基幹統計	5年 10年：大規模調査	人口静態統計，世帯，仕事の状況	日本に住むすべての人と世帯	全数調査	内閣府統計局
人口動態統計	基幹統計	毎月	出生，死亡，死産，結婚・離婚	戸籍法に基いた届出による	全数調査	厚生労働省
患者調査	基幹統計	3年	受療率，推計患者数，総患者数	全国の病院，一般診療所，歯科診療所	標本調査	厚生労働省
医療施設調査	基幹統計	動態調査：毎月 静態調査：3年	医療施設の分布および整備の実態，医療施設の診療機能	全国の病院，一般診療所，歯科診療所	標本調査	厚生労働省
受療行動調査	一般統計	3年	受療の状況，満足度など，患者の医療に対する認識や行動	一般病院を利用した患者	標本調査	厚生労働省
医師・歯科医師・薬剤師統計	一般統計	2年	業務の種別・従事場所・登録年・性・年齢など	全国の医籍，歯科医籍，薬剤師名簿に登録されている医師，歯科医師，薬剤師	全数調査	厚生労働省

調査名	種類	調査周期	調査内容	調査対象	備考	実施
国民生活基礎調査	基幹統計	毎年 3年： 大規模調査 その他： 簡易調査	簡易調査：世帯，所得 大規模調査：世帯，所得，健康，介護，健康票，有訴者率，通院者率	全国の世帯および世帯員	標本調査	厚生労働省
国民健康・栄養調査	一般統計	毎年	栄養摂取量および生活習慣 歯の本数（自己申告）	全国の世帯および世帯員/満1歳以上の世帯員	標本調査	厚生労働省
歯科疾患実態調査	一般統計	5年	現在歯数 歯周組織の状態	満1歳以上のすべての世帯員	標本調査	厚生労働省
学校保健統計調査	基幹統計	毎年	発育，健康状態 う歯，歯肉炎	全国の小学校，中学校，高等学校，中等教育学校および幼稚園の児童，生徒および幼児	標本調査	文部科学省

1）公的統計

国の行政機関，地方公共団体などが作成する統計

・基本となる事項は統計法によって定められている．

・業務データを集計し作成される統計（業務統計：食中毒統計など）や，他の統計を加工し作成される統計（加工統計：国民医療費など）も公的統計に含まれる．

（1）基幹統計

国勢統計，国民経済計算，その他，国の行政機関が作成する統計のうち，総務大臣が指定する特に重要な統計

（2）一般統計

基幹統計以外

2）根拠法

表に示したものはすべて統計法に規定されているが，人口動態調査は戸籍法，国民健康・栄養調査は健康増進法も関与している．

Ⅱ．各調査の主な動向

A 国民生活基礎調査 基幹統計 毎年 3年ごと

1）有訴者率，通院者率，介護が必要になった原因

（2019 年）

	有訴者率（人口千対）		通院者率（人口千対）		介護が必要になった原因（%）*
順位	男性	女性	男性	女性	
1	腰痛（91.2）	肩こり（113.8）	高血圧症（129.7）	高血圧症（122.7）	認知症（24.3）
2	肩こり（57.2）	腰痛（113.3）	糖尿病（62.8）	脂質異常症（62.5）	脳血管疾患（19.2）
3	鼻がつまる・鼻汁が出る（49.7）	手足の関節が痛む（69.9）	歯の病気（49.2）	眼の病気（60.9）	骨折・転倒（12.0）
4	せきやたんが出る（49.6）	体がだるい（54.5）	眼の病気（46.1）	歯の病気（58.4）	—
5	手足の関節が痛む（41.3）	頭痛（50.6）	脂質異常症（43.9）	腰痛症（54.4）	

* 介護に関する調査は大規模調査のときのみ

（厚生労働省，国民生活基礎調査，2019）

B 患者調査 基幹統計 3年ごと

推計患者数，受療率，総患者数，平均在院日数，在宅医療の状況などがわかる．

1）推計患者数

- 調査日に医療機関を受診した人数から推定する（全国で１日にどれだけ受療しているか）．
- 入院，外来，施設の種類別に集計する．
- **歯周疾患の推計患者数は約 51 万人，う蝕の推計患者数は約 29 万人**（全国で１日に受療している人数）
- 歯肉炎および歯周疾患は，外来で高血圧性疾患に次いで２番目に多い．
- 精神疾患の入院患者数が多いのは在院期間が長いためである．
- 外来患者数では，消化器系の疾患が最も多い．これはう蝕，歯周疾患

が含まれるためである.

・循環器系疾患のうち，外来で最も多いのは高血圧性疾患，入院で最も多いのは脳血管疾患である.

(2020 年)

	入院	外来
1	精神および行動の障害	消化器系の疾患
2	循環器系の疾患	循環器系の疾患
3	新生物	筋骨格系および結合組織の疾患

(厚生労働省，患者調査，2017)

2017 年の患者調査では傷病の分類には ICD-10 が用いられていた．新型コロナウイルスの影響で 2020 年の国民生活基礎調査は中止となった.

推計患者数 (2020 年)　(単位：千人)

	推計患者数			
	入院	総数	外来	総数
1	統合失調症，統合失調症型障害および妄想性障害	143.0	高血圧性疾患	594.4
2	脳血管疾患	123.3	歯肉炎および歯周疾患	505.4
3	悪性新生物	126.7	う蝕	291.3
4	骨折	97.4	糖尿病	215.0
5	心疾患 (高血圧性のものを除く)	58.4	悪性新生物	182.2

(厚生労働省，患者調査，2020)

2) 受療率 (人口 10 万対)

・推計患者数から算出する．入院，外来，男女別に集計

・う蝕は 1,000 人に 2.3 人で 23 万人，歯周疾患は 1,000 人に 4.0 人で 40 万人が 1 日に受療している.

受療率 (患者数の多い順)　(人口 10 万対)

(2020 年)

消化器系の疾患	1,007
う蝕	231
歯肉炎および歯周疾患	401
肝疾患	20

(厚生労働省，患者調査，2020)

・全国の受療率「入院」960,「外来」5,658

➡1日に約100人に0.96人入院, 5.7人外来受診

（1）性別

入院「男性」910,「女性」1,007, 外来「男性」4,971,「女性」6,308

➡外来, 入院とも女性のほうが多い.

（2）年齢階級別

入院：「65～69歳」1,207,「75～79歳」1,544

外来：「65～69歳」7,951,「75～79歳」9,649

3）総患者数

・調査日に医療機関を受診していない外来患者数を推定し加味したもの（日本全体でどれだけ患者がいるか）

・循環器系の疾患の総患者数は約20万人, 消化器系の疾患の総患者数は約18万人（日本全体の総患者数）

・歯周疾患の総患者数は約400万人, う蝕の総患者数は約190万人（2017年）. 2020年の患者調査では, 歯周疾患, う蝕の総患者数は公開されていない.

4）在宅医療の状況

・在宅医療を受けた推計外来患者数は17万人

・施設の種類別：病院2万2千人, 一般診療所11万人, 歯科診療所4万1千人

・在宅医療：往診5万3千人, 訪問診療10万5千人, 医師・歯科医師以外の訪問1万5千人

C 医療施設調査 基幹統計 毎年 3年ごと

動態調査は毎年，静態調査は3年ごと

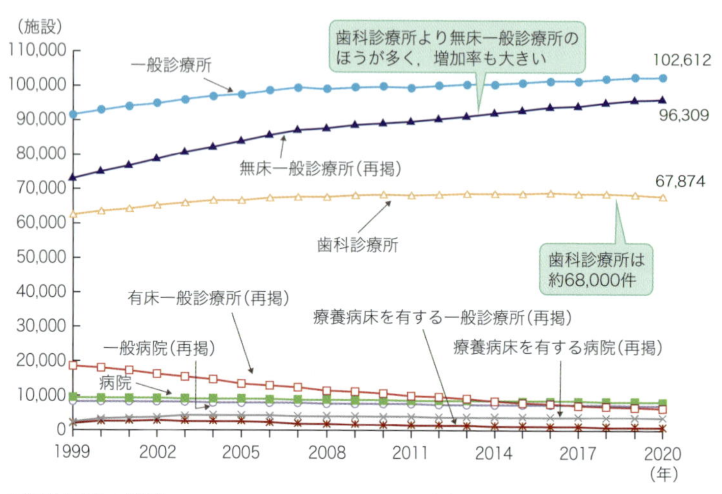

医療施設数の推移　（厚生労働省，医療施設調査，2020）

D 医師・歯科医師・薬剤師統計 一般統計 2年ごと

（2020年）

	医師	歯科医師	薬剤師
総数（人）	339,623	107,443	321,982
人口10万対（人）	269.2	85.2	255.2

（厚生労働省，医師・歯科医師・薬剤師統計，2020）

・看護師，歯科衛生士，歯科技工士の人数は「衛生行政報告例（就業医療関係者）の概況」で就業者数のみわかる（**看護師：約128万人，歯科衛生士：約14万3千人，歯科技工士：約3万4千人**，2020年）．

・施設・業務の種別にみた歯科医師数の集計では，診療所勤務が最も多く 91,789 人
・歯科衛生士の就業者数は歯科医師数よりやや多い．
・歯科医師は約 10 万人
・歯科技工士は歯科医師の約 1/3
・医師，薬剤師は歯科医師の約 3 倍
・看護師は歯科医師の 10 倍以上

医師法，歯科医師法，薬剤師法に現状届け出の義務があるため，年齢，性別，生年月日，登録年月日のほか，業務の種別，主たる業務内容，従事先の所在地，主たる診療科名を届け出る．

E 国民健康・栄養調査

・**健康増進法**で規定
・国民健康・栄養調査は，毎回実施する基本項目と必要に応じて調査する小項目があり，2016，17，18 年の調査では歯・口腔の健康に関する状況が調査された．
・2016 年は，過去 1 年間の歯科健診受診の状況
・2017 年は，何でもかんで食べることができる者の割合と 20 歯以上歯を有する者の割合
・2018 年は，所得と歯の本数

国民健康・栄養調査は，健康日本 21 の目標値を調査しており，かなり細かいことまで出題される．毎年実施されデータが更新される．厚生労働省のホームページで公開されている最新の結果の概要の要約（結果の概要で四角で囲んであるところ）は目を通しておく（→ p.192 参照）．

結果の概要（2019年）

よくでる

調査項目	全体	男性	女性	傾向
身体に関する状況				
肥満者（BMI≧25 kg/m^2）の割合		30.3%	22.3%	有意な増減はみられない.
やせの者(BMI＜18.5 kg/m^2)の割合		3.9%	11.5%	女性では有意に増加，20歳代女性が最も高い.
20歳代女性のやせの者の割合			20.7%	
65歳以上の高齢者の低栄養傾向の者（BMI≦20 kg/m^2）の割合		12.4%	20.7%	男性では有意な増減はなく，女性では有意に増加している．男女とも85歳以上でその割合が高い.
「糖尿病が強く疑われる者」の割合		19.7%	10.8%	有意な増減はみられない.
収縮期（最高）血圧の平均値		132.0 mmHg	126.5 mmHg	有意に減少
収縮期（最高）血圧が140 mmHg以上の者の割合		29.9%	24.9%	有意に減少
血清総コレステロール値が240 mg/dL以上の者の割合		12.9%	22.4%	有意な増減はみられない.
栄養・食生活に関する状況				
食塩摂取量の平均値	10.1 g	10.9 g	9.3 g	有意に減少
野菜摂取量の平均値	280.5 g	288.3 g	273.6 g	有意に減少．男女ともに20歳代で最も少なく，60歳代で最も多い.
身体活動・運動および睡眠に関する状況				
運動習慣のある者の割合		33.4%	25.1%	男性では有意な増減はなく女性では減少傾向
20歳代で運動習慣のある者の割合		17.6%	7.8%	20歳代で最も低い.
歩数の平均値		6,793歩	5,832歩	有意な増減はみられない.
20〜64歳の歩数の平均値		7,864歩	6,685歩	
65歳以上		5,396歩	4,656歩	
1日平均睡眠時間6時間未満		37.5%	40.6%	

調査項目	全体	男性	女性	傾向
飲酒・喫煙に関する状況				
生活習慣病のリスクを高める量を飲酒している者の割合		14.9%	9.1%	男性では有意な増減はなく，女性では有意に増加．男性は 50 歳代，女性では 40 歳代が最も高い．
現在習慣的に喫煙している者の割合	16.7%	27.1%	7.6%	有意に減少．30～60 歳代男性で割合が高く，約 3 割以上が現在習慣的に喫煙
現在習慣的に喫煙している者のうち，たばこをやめたいと思う者の割合	26.1%	24.6%	30.9%	男性では 2010 年まで増加傾向，その後有意に減少．女性も同様の推移．
自分以外の人が吸っていたたばこの煙を吸う機会（受動喫煙）を有する者の割合：「飲食店」42.2%，「遊技場」34.4%，「職場」30.9%，「路上」30.5%．（2018 年）				
歯・口腔の健康に関する状況				
過去 1 年間に歯科検診を受けた者の割合（2016 年）	52.90%			有意に増加．男女とも年齢が高い層で割合が高い．20 歳代が最も低い．
何でもかんで食べることのできる者の割合と 20 歯以上歯を有する者の割合（2019 年）	75.0%			60 歳代から大きく減少する．

（厚生労働省，国民健康・栄養調査，2016，2018，2019）

CHECK! 歯・口腔に関する調査項目がある統計のまとめ

国民生活基礎調査（2019 年）	
有訴者率	調査項目に「歯が痛い」「歯ぐきのはれ・出血」がある．
通院率	歯の病気が男女ともに 3 位．男性 474，女性 573（人口千対）
患者調査（2017，2020 年）	
推計患者数	う蝕 291.3，歯肉炎および歯周疾患 505.4（単位：千人）
受療率	う蝕 231，歯肉炎および歯周疾患 401（人口 10 万対）
総患者数（2017 年）	う蝕 1,907，歯肉炎および歯周病 3,983（単位：千人）
国民健康・栄養調査（2016 年）他	
過去 1 年間の歯科健診受診状況 52.9%（2016 年），歯の本数の分布（自己申告）	
学校保健統計調査（2019 年）	
被患率，う歯	→ Chapter12「学校保健」参照

保健統計

Chapter 8

社会保障

Check Point

・社会保障の仕組みを理解する．
・医療保険制度は支払いの仕組みも含めて詳細に理解しておく．
・国民医療費は毎年データが変わるのでおおよその値を覚えればよい．約何％，何倍などの表現で出題されることが多い．

Ⅰ．日本国憲法　第二十五条（生存権）

すべて国民は，**健康で文化的な最低限度の生活を営む権利**を有する．国は，すべての生活部面について，**社会福祉**，**社会保障**及び**公衆衛生の向上及び増進**に努めなければならない．（→ p.1 参照）

Ⅱ．社会保障の 4 つの柱

A 従来からの分類（4 つの柱）

1）社会保険

医療保険，年金保険，介護保険

2）社会福祉

国民の生活の安定と福祉の増進

3）公的扶助

生活保護，児童手当

4）公衆衛生

1950年の「社会保障に関する勧告」によるもので，「社会保障の4つの柱」といったら「従来からの分類」をさす．
現在は「新しい分類」のほうが用いられている．

B 新しい分類（内容による分類）

少子高齢化などの社会の変化に対応できるように以下の分類が用いられるようになってきている．

1）社会福祉：児童福祉，障害者福祉，老人福祉，精神保健福祉，父子・母子福祉

2）所得保障→Ⅲ．所得保障

3）医療保障→Ⅳ．医療保険制度

4）公衆衛生：感染症対策，環境汚染対策，労働衛生対策など

C 社会保障の機能

①生活安定・向上機能
②所得再分配機能
③経済安定機能

Ⅲ．所得保障

A 所得保障の種類

・社会保障のうち**現金給付**を行うもの
・年金保険，児童手当，雇用保険，労働災害保険，生活保護
・雇用保険は失業保険のほか，育児休業給付，介護休業給付がある．

B 公的年金制度

1）国民年金

- **老齢基礎年金**，障害基礎年金，遺族基礎年金，寡婦年金，死亡一時金
- **国民皆保険制度（強制加入）**
- **20 歳から被保険者になる**.
- **老齢年金の給付開始は 65 歳**（老齢基礎年金）

2）厚生年金

- 基礎年金である国民年金にさらに上乗せして支給されるもの
- 強制適用事業所（常時 5 人以上の従業員を使用する事業）に適用
- **事業主と被保険者が保険料を折半**

Ⅳ．医療保険制度

A 医療保険制度の特徴

- **国民皆保険制度**（**強制加入**）．保険料が財源
- 厚生労働省が所管
- 医療保険は現金ではなくサービスが供給されるため**現物給付**とよばれる（**療養の給付**）.
- 介護も現物給付である．現物給付は医療と介護のみ
- **保険料はそれぞれ異なる**（一律ではない，収入によって異なる）.
- **診療行為の点数制**
- **一部負担金の徴収**（原則 3 割，70 ～ 74 歳 2 割，就学前 2 割，75 歳以上 1 割）
- 1 年以上の在日期間のある外国人も加入できる.

医療保険だけが申請不要

B 医療保険の種類

	被用者保険（職域保険）				地域保険		
保険の種類	健康保険		船員保険	共済保険	国民健康保険		後期高齢者医療制度
保険者（事業主）	全国健康保険協会	健康保険組合	全国健康保険協会	各種共済組合	国民健康保険組合	市町村・特別区	市町村
被保険者	中小企業労働者	大企業労働者	船員	公務員 私立学校職員	三師* 建設業 弁護士などの自営業者	一般住民	75歳以上の高齢者 65〜74歳で，一定の障害があり，後期高齢者医療広域連合に認定された者
根拠法	健康保険法		船員保険法	共済組合法	国民健康保険法		高齢者の医療の確保に関する法律
加入者割合	32.1%	22.7%		6.9%	2.1%	20.4%	14.6%

単独で最多

合計で最多

* 三師：医師，歯科医師，薬剤師

（厚生労働省，医療施設調査，2020）

CHECK!

75歳以上は全員が後期高齢者医療制度に強制加入

1）給付対象外

疾病でないものは給付の対象外である．

例）**正常分娩，健康診断，混合診療，人間ドック，予防接種，診断書，歯の漂白，入院時室料差額**

- 業務上の疾病は，労働災害補償保険の対象であり，医療保険の対象外
- 健康保険では，入院食事療養費，傷病手当金，訪問看護療養費，出産一時金，出産手当金，埋葬料も給付対象となっている．

2）高額療養費制度

保険診療で支払いが一定額を超えた場合に，その超えた金額を支給する制度．収入に応じて負担軽減率は異なる．

C 高齢者の医療の確保に関する法律

- **医療費適正化計画**：厚生労働大臣が定める．
- **都道府県医療費適正化計画**：都道府県知事が定める．
- **特定健康診査・特定保健指導**（→ p.115 参照）：**事業主**が定める．
- 保険者：**後期高齢者医療広域連合**
- 訪問看護療養費の支給，移送費の支給
- **財源の一部を現役世代が負担する**．

・市町村が共同で後期高齢者医療制度を円滑に進めるために設立された保険者
・各都道府県に 1 団体

D 公費医療

- 医療費の**一部または**金額を公費で支払うもの

根拠法		自己負担
感染症法	一，二類感染症	あり
精神保健福祉法	措置入院	あり
生活保護法	医療扶助	なし
母子保健法	未熟児療育医療	あり
難病法	難病医療費助成制度	あり
予算処置	特定疾患治療研究対象疾患	あり
児童福祉法	小児慢性特定疾患治療研究対象疾患	あり
らい病予防法の廃止に関する法律	ハンセン病	あり

- 健康保険を適用し，残額を公費負担するが，法によって，また所得によって負担額は異なる．
- 医療扶助では自己負担はない．

E 医療費支払いの仕組み

1）健康保険

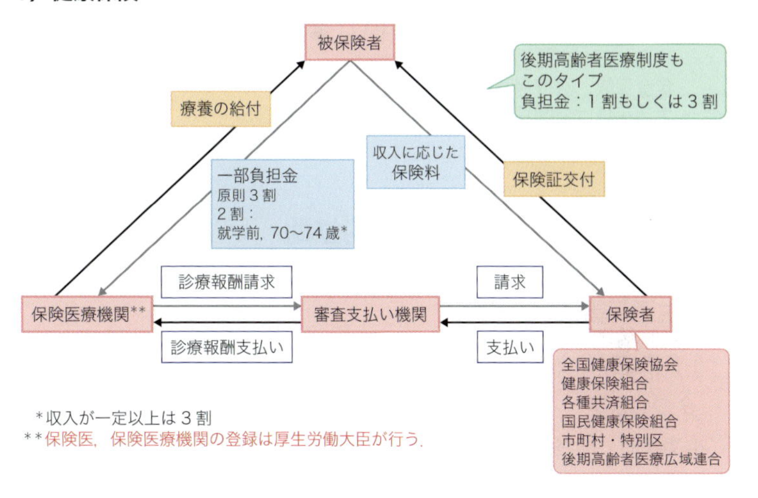

*収入が一定以上は3割
**保険医，保険医療機関の登録は厚生労働大臣が行う．

2）公費医療（例：生活保護）

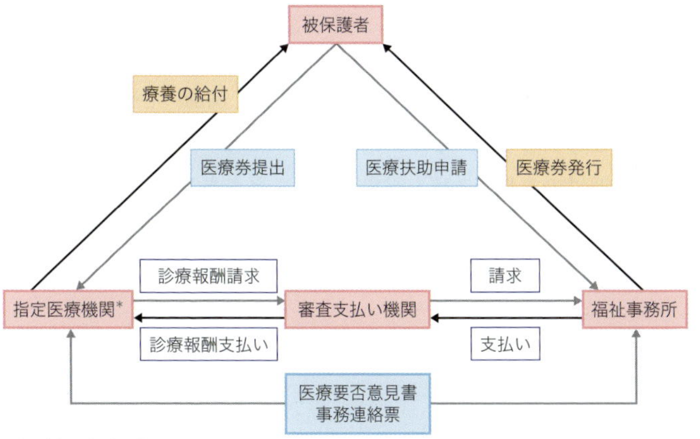

*都道府県知事が指定

CHECK! 保険原理

・問題がないときから保険料を支払い，蓄積し，問題が生じたときに保険金などが支払われる仕組み
・年金保険，医療保険は保険原理に基づく．
・生活保護は公的扶助なので保険原理に基づかない．

V．公的扶助

A 生活保護法

・生存権を保障する制度
・8つの扶助：生活扶助，**医療扶助**，教育扶助，住宅扶助，出産扶助，生業扶助，葬祭扶助，介護扶助
・**現物給付**は医療扶助と介護扶助
・**世帯単位**で申請，保護（代理申請可能）
・**福祉事務所**が認定
・低所得のみでなく，以下の者がいる世帯も対象
例）人工透析療法を受けている，人工骨頭，人工関節，心臓ペースメーカーなどを装着している．
・医療保険範囲外の歯科の診療も対象となることがある．
・**医療扶助が最も大きな費用**となっている．（医療の質は保険診療と同等）
・**受給者は増加傾向**であったが，2015年3月をピークにやや減少した．

Ⅵ. 医療経済と国民医療費

A 社会保障給付費

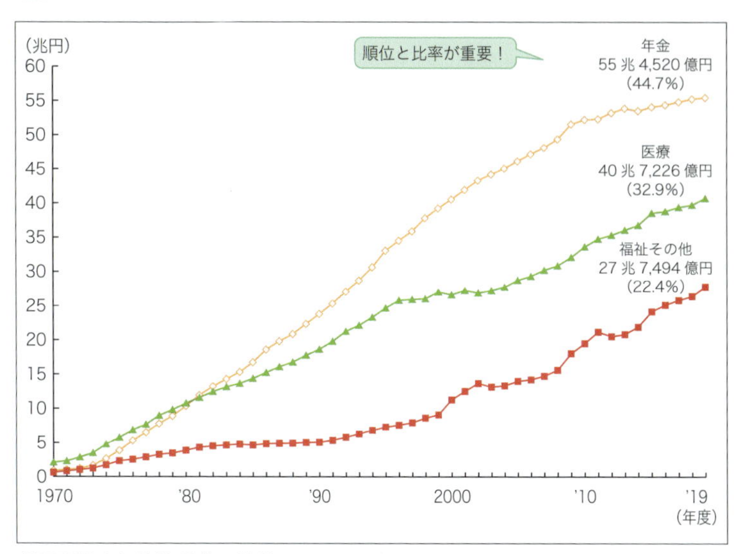

部門別社会保障給付費の推移
（国立社会保障・人口問題研究所，令和元年度（2019）社会保障費用統計）

B 国民医療費

1）医療費の 3 要素

受診率，1 件あたりの医療費，1 日あたりの医療費

2）国民医療費に含まれるもの

保険診療の対象となっているもの（→ p.79 給付対象外を参照）

	2019 年度	年度
総額	44 兆 3,895 億円	円
国民 1 人あたり	35 万 1,800 円	円
国民所得に占める割合	11.06%	%

（厚生労働省，令和元年度国民医療費の概況，結果の概要）

赤字は過去に歯科医師国試に出題
国民医療費のデータは毎年更新されるため，厚生労働省のホームページ（→p.192 参照）から最新のデータを調べて空欄に記入するようにしよう！

介護は医療ではないので，介護保険による費用は国民医療費に含まれない．

制度区分別国民医療費

	2019 年度		年度	
公費負担医療給付分	3 兆 2,301 億円	7.1%	円	%
医療保険等給付分	20 兆 457 億円	45.2%	円	%
後期高齢者医療給付分	15 兆 6,596 億円	35.3%	円	%
患者等負担分	5 兆 4,540 億円	12.3%	円	%

（厚生労働省，令和元年度国民医療費の概況，結果の概要）

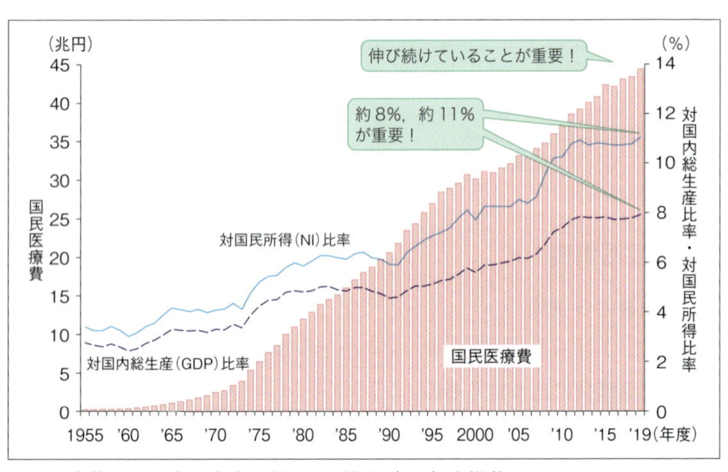

国民医療費・対国内総生産・対国民所得比率の年次推移

（国立社会保障・人口問題研究所，令和元年度（2019）社会保障費用統計）

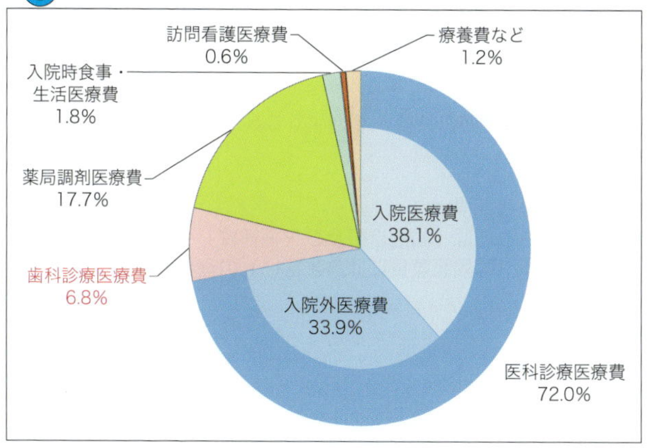

診療種類別国民医療費構成割合（2019 年度）

（厚生労働省，令和元年度国民医療費の概況，結果の概要）

財源別国民医療費（2019 年度）

公費	16 兆 9,807 億円	38.3%	国庫	11 兆 2,963 億円	25.4%
			地方	5 兆 6,844 億円	12.8%
保険料	21 兆 9,426 億円	49.4%	事業主	9 兆 4,594 億円	21.3%
			被保険者	12 兆 4,832 億円	28.1%
その他	5 兆 4,663 億円	12.3%	患者負担	5 兆 1,837 億円	11.7%

（厚生労働省，令和元年度国民医療費の概況，結果の概要）

年齢階級別国民医療費

	2019 年度		年度	
0 ～ 14 歳	2 兆 4,987 億円	5.6%	円	%
15 ～ 44 歳	5 兆 2,232 億円	11.8%	円	%
45 ～ 64 歳	9 兆 6,047 億円	21.6%	円	%
65 歳以上	27 兆 629 億円	61.0%	円	%

	2019 年度		年度	
	65 歳未満	65 歳以上	65 歳未満	65 歳以上
人口 1 人当たり	19 万 1,900 円	75 万 4,200 円	円	円
医科診療医療費	12 万 9,800 円	56 万 4,000 円	円	円
歯科診療医療費	1 万 9,900 円	3 万 9,900 円	円	円
薬局調剤医療費	3 万 6,500 円	12 万 6,800 円	円	円

（厚生労働省，令和元年度国民医療費の概況，結果の概要）

・65 歳以上が 65 歳未満の **4 倍**になっている．歯科医療費は 2 倍弱

CHECK!　歯科医療費の特徴

・全体の 6.8%（2019 年）
・歯科診療医療費の推移は横ばい
・構成割合が最も大きいのは「歯冠修復及び欠損補綴」
・医科よりも自由診療（国民医療費には含まない）の割合が多い．

Chapter 9 地域医療

Check Point

・医療法の対人サービスを提供する医療機関の情報提供（広告），開設・管理などに関する事項を理解する．

・医療法の都道府県の医療計画を理解する．

Ⅰ．医療法

A 医療法の目的

医療を提供する体制の確保と，国民の健康の保持

B 医療法の概要

①医療の基本理念

②医療選択の支援（広告）

③医療施設の種類と開設管理

④医療計画

⑤医療安全

⑥医療法人

C 医療法の基本理念

①生命の尊重と個人の尊厳の保持

②医療を行う者と医療を受ける者の信頼関係

③医療を受ける者の心身の状況に応じて良質かつ適切な医療，疾病予防リハビリテーション

④福祉サービスなどとの連携，国民自らの健康の保持増進のための努力を基礎

医療法は「医師，歯科医師，薬剤師，看護師その他の医療の担い手は，医療を提供するに当たり，適切な説明を行い，医療を受ける者の理解を得るよう努めなければならない」とインフォームド・コンセントについて定めている．

D 医療選択の支援（広告）

・**都道府県知事**は，医療を受ける者が適切な選択ができるように情報を収集し公表する義務がある．
・国，市町村には努力義務がある．
・歯科医師会，事業主には義務はない．
・**広告とは新聞，看板など不特定多数が目にするもの．名刺，インターネットは対象外**
・インターネットにはガイドラインがあり，遵守しないと行政処分の対象となる．

広告できる事項

診療科名（4）	歯科，矯正歯科，小児歯科，歯科口腔外科
歯科医師の専門性資格（5）	口腔外科専門医，歯周病専門医，歯科麻酔専門医，小児歯科専門医，歯科放射線専門医
その他	病院，診療所の名称，所在地，電話番号，管理者の氏名，診療日，診療時間，予約による診療の実施，入院設備の有無，医療従事者の氏名，年齢，性別，役職，略歴

「訪問診療市内No.1」などの誇大広告，客観的事実を証明できないもの，他との比較は広告できない
校医は広告できない
手術件数年間○○件であれば可能

院内掲示の義務

・管理者の氏名
・診療に従事する医師，歯科医師の氏名
・医師，歯科医師の診療日
・その他，厚生労働大臣が定めた事項：夜間診療，休日診療，訪問診療，駐車場，予約

E 医療施設の種類と開設管理

1）医療法で開設管理を規定している医療施設

①病院，②診療所，③助産所

病院・診療所の開設管理

	病床数	開設	管理者
病院	20床以上	都道府県知事の許可	臨床研修修了後の医師，歯科医師
診療所	19床以下	開設後10日以内に都道府県知事に届け出	

都道府県知事の許可が必要な事項

①病院の開設

②医師，歯科医師以外の診療所開設*

③病床の設置，変更

* 知事または保健所設置市の市長，特別区の区長に届け出

2）医療法以外で開設管理を規定している施設

(1) 薬局

医薬品，医療機器等の品質，有効性及び安全性の確保等に関する法律（薬機法）で規定

(2) 施術所

あん摩マッサージ指圧師，はり師，きゅう師等に関する法律，柔道整復師法で規定

(3) 歯科技工所

歯科技工士法で規定．歯科医師は歯科技工所の管理者になれる．

(4) 介護老人福祉施設，介護老人保健施設および介護医療院

介護保険法で規定

CHECK! 医療法での開設管理

医療法では病院，診療所，介護老人保健施設，介護医療院，調剤を実施する薬局その他の医療を提供する施設を医療提供施設としているが，開設管理を定めているのは病院，診療所，助産所のみである．

CHECK! 歯科診療所の開設

①歯科診療所の開設は都道府県知事に届け出
②歯科医師会の許可はいらない．
③歯科衛生士がいなくても開設できる．

F 病院，診療所の休止，廃止

・病院，診療所は正当な理由なく１年以上休止してはならない．
・１年以上休止した場合，その再開を知事に届け出
・廃止したときは知事に届け出

G 医療計画

都道府県知事は医療を提供する体制の確保に関する計画を作成５年ごとに見直す（→ p.91 参照）.

H 医療安全

病院等の管理者	医療安全確保の指針策定 従業者に対する研修 医療事故が発生した場合，医療事故調査・支援センターに報告
医療安全支援センター	都道府県，保健所設置市（努力義務）が設置 患者からの苦情相談 患者・医療施設への助言 医療施設への研修
医療事故調査・支援センター	厚生労働大臣が指定 医療事故の分析，支援

医療事故調査制度

・医療事故が発生した場合，発生した医療機関内で院内調査
・医療事故を**医療事故調査・支援センター**へ報告
・医療事故調査・支援センターが調査情報を収集，分析して再発を防ぐシステム
・医療法上，制度の対象となる医療事故は**死亡**，**死産**

医療法施行規則では，病院，診療所の診療用放射線の防護や歯科技工室の防塵設備などさまざまな**施設の設備基準**を定めている．

I 医療法人

医療法では医療法人の設立，業務範囲について定めている．

II．医療計画

都道府県ごとに**都道府県知事**が定める．

A 医療計画の内容

①**二次医療圏**，**三次医療圏**の設定

一次医療圏は含まれない！

②基準病床数の設定（入院医療の確保）
③地域医療支援病院の整備
④生活習慣病予防（**5 疾病**：**がん**，**脳卒中**，**急性心筋梗塞**，**糖尿病**，**精神疾患**）
⑤ **5 事業**：**救急医療**，**災害時医療**，**へき地医療**，**周産期医療**，**小児医療**
⑥医療安全の確保
⑦医療従事者の確保

医療法では居宅等における医療の確保に関する事項として，医療計画で在宅医療従事者の確保が取り上げられている

⑧病院，診療所，薬局などの機能および，連携の推進（地域連携クリニカルパス→ p.95 参照）

B 二次医療圏，三次医療圏の設定

一次医療圏	身近な医療を提供	市町村を単位
二次医療圏	一般的な医療サービスを提供	複数の市町村を 1 つの単位
三次医療圏	最先端，高度な技術を提供	原則，都道府県を 1 つの単位

特定機能病院（大学病院など）	厚生労働大臣の承認	三次医療圏に 1 か所 研修を行わせる能力 高度の医療技術の開発および評価 高度の医療を提供 高度の医療に関する研修
地域医療支援病院（県立病院など）	都道府県知事の承認	二次医療圏に 1 か所が望ましいが未達成 かかりつけ医を支援 紹介患者への医療提供 救急医療 地域の医療従事者の研修機能
臨床研究中核病院	厚生労働大臣の承認	特定臨床研究を立案，実施

地域医療支援病院は二次医療機関

C 基準病床数の設定

・医療計画において医療圏ごとに割り当てられるベッド数

・病床の種類，人口，退院患者率，病床利用率，平均在院日数で決める．

病床の種類 ：一般病床，療養病床（二次医療圏単位）
精神病床，感染症病床，結核病床（三次医療圏単位）

D 生活習慣病予防

がん，脳卒中，急性心筋梗塞，糖尿病，精神疾患の **5 疾病**に関して医療供給体制，地域医療連携（**地域連携クリニカルパス**→ p.95 参照）について計画を定める．

E 5事業

1）救急医療

種類	初期救急（一次救急）	二次救急	三次救急
医療の内容	軽症患者に対する処置・投薬	24時間体制で重症患者の処置，入院設備	24時間体制で生命の危険のある重篤患者に高度な技術の提供
施設など	在宅当番医制度 休日夜間救急センター	中規模救急病院 病院群輪番制病院 共同利用病院	救命救急センター 地域救命救急センター 高度救命救急センター

2）災害時医療

（1）災害拠点病院

・都道府県によって指定される．

・**基幹災害医療センター**（都道府県に1か所），**地域災害医療センター**（二次医療圏に1か所）の2種類がある．

災害拠点病院の機能

①救命医療を行うための高度診療機能

②被災地からの重症傷病者の受入れ機能

③傷病者の広域後方搬送への対応機能

④医療救護班の派遣機能

⑤地域医療機関への応急用医療資機材の貸出し機能

（2）災害派遣医療チーム（**DMAT**：Disaster Medical Assistance Team）

・災害急性期（発災後のおおむね48時間）に活動できる機動性をもつ，トレーニングを受けた医療チーム

・負傷者の初期医療を担当する．

（3）医療救護班

DMATの活動後に医療を行う医療チーム

（4）**トリアージ（傷病者の選別）**

傷病者を短時間に重症度，緊急度で分類し，搬送先と優先度を決めること

(5) トリアージ・タッグ

・トリアージの際に用いる負傷者の重傷度の識別票

・身体の損傷の状態に応じて右手首→左手首→右足首→左足首→首の順に付けられる場所につける.

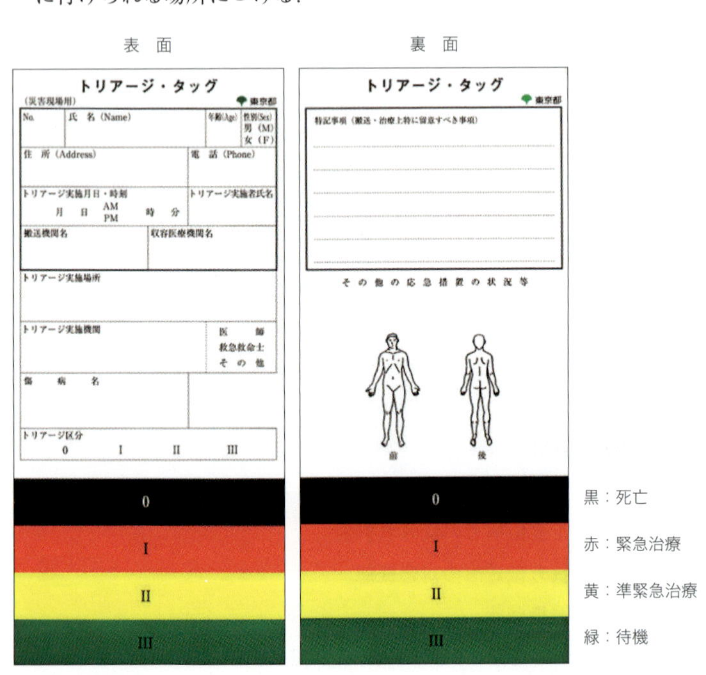

表面

トリアージ・タッグ

（災害現場用）　東京都

No.	氏名（Name）	年齢(Age)	性別(Sex) 男（M） 女（F）
住所（Address）		電話（Phone）	
トリアージ実施月日・時刻 月 日 AM PM 時 分		トリアージ実施者氏名	
搬送機関名		収容医療機関名	

トリアージ実施場所

トリアージ実施機関　医師　救急救命士　その他

傷病名

トリアージ区分　0　I　II　III

0

I

II

III

裏面

トリアージ・タッグ

東京都

特記事項（搬送・治療上特に留意すべき事項）

その他の応急措置の状況等

前　後

0

I

II

III

黒：死亡

赤：緊急治療

黄：準緊急治療

緑：待機

3) へき地医療

(1) へき地

医療機関のない地域で，当該地域の中心的な場所を起点としておおむね半径4キロメートルの区域内に人口50人以上が居住している地域であって，かつ，容易に医療機関を利用できない地区

(2) へき地医療保健計画

都道府県が作成

(3) へき地医療拠点病院

・へき地医療支援機構が指導

・巡回診療，へき地への医師，代診医の派遣，技術指導，援助遠隔医療による支援

4）周産期医療

5）小児医療

産婦人科医，小児科医の不足から，計画が求められている

E 地域連携クリニカルパス

・急性期病院から回復期病院を経て早期に自宅に帰れるような診療計画を作成し，治療を受ける医療機関で共有して用いる．

・しかし糖尿病のように急性期よりも慢性期での各医療機関の連携が重要なものもあるため，疾病ごとに内容がやや異なる．

・医療連携体制に基づく地域完結型医療を具体的に実現する．

・**切れ目のない医療の提供**が目的

CHECK! クリニカルパス

・良質な医療を効率的，かつ安全，適正に提供するための手段として開発された診療計画表

・診療の標準化，根拠に基づく医療の実施，インフォームド・コンセントの充実，業務の改善，チーム医療の向上などの効果がある．

・基本的に医療機関ごとに作成し，1 つの医療機関内で用いる．

・退院時の達成目標を明確化できる．

Chapter 10
地域保健

Check Point

・保健所と市町村保健センターの役割の違いを理解する.
・医療関係職種の資格，業務範囲を理解する.
・「健康日本 21」の歯科の目標値を覚える.

Ⅰ．地域保健の基本指針

①地域保健対策の推進
②保健所および市町村保健センターの整備および運営
③**地域保健対策に係る人材の確保および資質の向上**（**人材確保支援計画の策定**）
④地域保健に関する調査および研究
⑤社会福祉などの関連施策との連携

地域保健の進め方（地域保健対策推進の基本的方向）

①自助および共助の支援の推進
②住民の多彩なニーズに対応したきめ細やかなサービスの提供
③地域の特性をいかした保健と福祉の健康な街づくり
④医療，介護，福祉等の関連施設などとの連携強化
⑤地域における危機管理体制の確保
⑥科学的根拠に基づいた地域保健の推進
⑦国民の健康づくりの推進
⑧快適で安心できる生活環境の確保

地域保健では住民参加，専門家の助言などヘルスプロモーション，一次予防の考え方を実践

地域保健

・一次予防を重視
・保健所，市町村保健センターが中心的役割

Ⅱ．保健所

1）設置

・二次医療圏に1か所設置されている．

・都道府県，特別区には設置義務

・保健所政令市は保健所を設置することができる．

コラム：保健所政令市

政令指定都市（人口50万人以上），中核市（人口20万人以上）のほかに，その他個別に指定されている都市がある（小樽市など）．この個別の市を狭義の意味で「保健所政令市」とよぶことがある．

2）保健所長

保健所長の資格 ：医師または一定の条件を充たす医師以外（**歯科医師**でもなれる）

3）業務内容

①地域保健に関する思想の普及および向上に関する事項
②**人口動態統計**その他地域保健に係る統計に関する事項
③栄養の改善および**食品衛生**に関する事項
④住宅，**水道**，**下水道**，**廃棄物の処理**，清掃その他の環境の衛生に関する事項
⑤**医事および薬事**に関する事項
⑥保健師に関する事項
⑦公共医療事業の向上および増進に関する事項

公衆衛生の教科書の大項目とほぼ同じと覚えておけばよい

⑧**母性および乳幼児ならびに老人の保健**に関する事項

⑨**歯科保健**に関する事項

⑩**精神保健**に関する事項

⑪治療方法が確立していない疾病その他の特殊な疾病により長期に療養を必要とする者の保健に関する事項

⑫エイズ，結核，性病，伝染病その他の疾病の予防に関する事項

⑬衛生上の試験および検査に関する事項

⑭その他，地域住民の健康の保持および増進に関する事項

保健所の職員数：保健師＞薬剤師＞獣医師＞医師＞歯科医師

保健所長の医師以外の者の条件
・公衆衛生行政に必要な医学的専門知識に関し医師と同等またはそれ以上の知識を有する技術員
・一定期間以上の公衆衛生の実務経験
・一定の養成訓練の課程
条件として医師を保健所の職員として必置することとなっており，保健所には必ず医師が配置されることになる．

Ⅲ．市町村保健センター

住民に対し，**健康相談**，**保健指導**および**健康診査**，その他の地域保健に関する必要な事業を行うことを目的とする施設．**対人サービス**を基本とする．

1）設置

・市町村による任意設置（努力義務）
・根拠法：地域保健法

2）センター長

資格の規定なし（医師である必要はない）

3）事業内容

これらの業務は保健所でも行っているが，「対人サービス」で行うことがポイント

①老人保健：特定健康診査，特定保健指導，歯周疾患検診，がん検診

②母子保健：1歳6か月児健診，3歳児健診，保健指導

③予防接種

④栄養指導　など

Ⅳ．健康日本21（第二次）と健康増進法

A 健康日本21（第二次）

1）概要

・健康増進法に基づき策定された厚生労働省告示

・国民の健康の増進の推進に関する基本的な方向や国民の健康の増進の目標に関する事項

2）基本的な考え方

・生涯を通じての健康づくりの推進（「一次予防」の重視と**健康寿命の延伸，生活の質の向上**）

・国民の保健医療水準の指標となる具体的目標の設定および評価に基づく健康増進事業の推進

3）個人の健康づくりを支援する社会環境づくり

（1）**健康寿命の延伸と健康格差の縮小**

平均寿命の延伸ではない

（2）**生活習慣病の発症予防と重症化予防の徹底**（NCD〈非感染性疾患〉の予防）

・**一次予防**に重点を置いた対策の推進

・食生活の改善や運動習慣

・重症化の予防に重点を置いた対策の推進

（3）社会生活を営むために必要な機能の維持および向上

ライフステージに応じた心身機能の維持および向上

（4）健康を支え，守るための社会環境の整備

（5）**栄養・食生活，身体活動・運動，休養，飲酒，喫煙および歯・口腔の健康**に関する生活習慣および社会環境の改善

NCD（非感染性疾患）

・生活習慣病とほぼ同義
・世界的にも死因の約 60%を占め，77%にまで増加すると予測
・WHO は「非感染性疾患への予防と管理に関するグローバル戦略」を策定

4）目標の設定と評価

・5 年をめどにすべての目標について中間評価，目標設定後 10 年をめどに最終評価を行う．

・ハイリスクアプローチを基本とした一次予防重視になっている．

目標値が設定されている主な項目

赤字は過去に出題

主要な生活習慣病の発症予防と重症化予防の徹底	がん	75 歳未満のがんの年齢調整死亡率の減少 がん検診の受診率の向上	
	循環器疾患	メタボリックシンドロームの該当者および予備群の減少 特定健康診査・特定保健指導の実施率の向上	
	糖尿病		
	COPD（慢性閉塞性肺疾患）	認知度の向上	
生活習慣および社会環境の改善に関する目標	栄養・食生活	適正体重を維持している者の増加	
		食塩摂取量の減少	10.6 g → 8 g
	飲酒	生活習慣病のリスクを高める量を飲酒している者の割合の低減	男性 15.3% → 13% 女性 7.5% → 6.4%
		未成年者の飲酒をなくす	
		妊娠中の飲酒をなくす	
	喫煙	成人の喫煙率の減少 （喫煙をやめたい人がやめる）	19.5% → 12%
		未成年者の喫煙をなくす	
		妊娠中の喫煙をなくす	
		受動喫煙の機会を有する者の割合の減少	
	運動		
	休養		
	歯と口腔の健康	p.101 参照	

（厚生労働省ホームページ，健康日本 21（第二次）目標値一覧）

5）歯科に関する目標値

項目	現状	目標
①口腔機能の維持・向上（60歳代における咀嚼良好者の割合の増加）	73.4%（2009年）	80%（2022年度）
②歯の喪失防止		
ア　80歳で20歯以上の自分の歯を有する者の割合の増加	25.0%（2005年）	60*%（2022年度）
イ　60歳で24歯以上の自分の歯を有する者の割合の増加	60.2%（2005年）	80*%（2022年度）
ウ　40歳で喪失歯のない者の割合の増加	54.1%（2005年）	75%（2022年度）
③歯周病を有する者の割合の減少		
ア　20歳代における歯肉に炎症所見を有する者の割合の減少	31.7%（2009年）	25%（2022年度）
イ　40歳代における進行した歯周炎を有する者の割合の減少	37.3%（2005年）	25%（2022年度）
ウ　60歳代における進行した歯周炎を有する者の割合の減少	54.7%（2005年）	45%（2022年度）
④乳幼児・学齢期のう蝕のない者の増加		
ア　3歳児でう蝕がない者の割合が80%以上である都道府県の増加	6都道府県（2009年）	47*都道府県（2022年度）
イ　12歳児の一人平均う歯数が1.0歯未満である都道府県の増加	7都道府県（2011年）	47*都道府県（2022年度）
⑤過去1年間に歯科検診を受診した者の割合の増加	34.1%（2009年）	65%（2022年度）

（厚生労働省ホームページ，健康日本21（第二次）目標値一覧）

* 中間評価で見直し改定された数値．

B 健康増進法

健康診査の実施などに関する指針（健康増進事業実施者に対する健康診査の実施などに関する指針）	厚生労働大臣が定める
健康手帳の交付	厚生労働大臣が定める
都道府県健康増進計画	都道府県知事が定めるものとする（義務）
市町村健康増進計画	市町村長が定めるよう努める（努力義務）
国民健康・栄養調査	実施：厚生労働大臣 執行に関する事務：都道府県知事
食事摂取基準	厚生労働大臣
生活習慣病の発生の状況の把握	国および地方公共団体（がん登録など）
市町村による生活習慣相談などの実施保健指導	
都道府県による専門的な栄養指導	
受動喫煙の防止	喫煙可能な場所は，学校・病院・児童施設は屋外の喫煙所，多数の人が集まる百貨店などは屋内の喫煙所のみとなった．
特別用途表示の許可（特定保健用食品）	内閣総理大臣の許可

1）健康増進事業実施者

保険者，事業者，市町村，学校など

2）健康増進法に基づく健康増進事業

（1）健康手帳の交付

（2）健康教育

（3）健康相談

（4）機能訓練

（5）訪問指導

（6）総合的な保健推進事業

（7）検診（**市町村が実施**する検診）

①**歯周疾患検診**：**40，50，60，70 歳**の者 よくでる

②**骨粗鬆症検診**：**40，45，50，55，60，65，70 歳**の**女性** よくでる

③肝炎ウイルス検診

④健康増進法施行規則で定める健康診査➡がん検診，40 歳以上 74 歳以下の者で，高齢者の医療の確保に関する法律の特定健康診査の対象とならない者，75 歳以上の者の健康診査，保健指導

地域保健

Chapter 11

母子保健

Check Point

- 母子保健の中心的役割は市町村であることを理解する.
- 児童虐待について説明できる.
- 母子健康手帳について説明できる.

I. 母子保健の概要

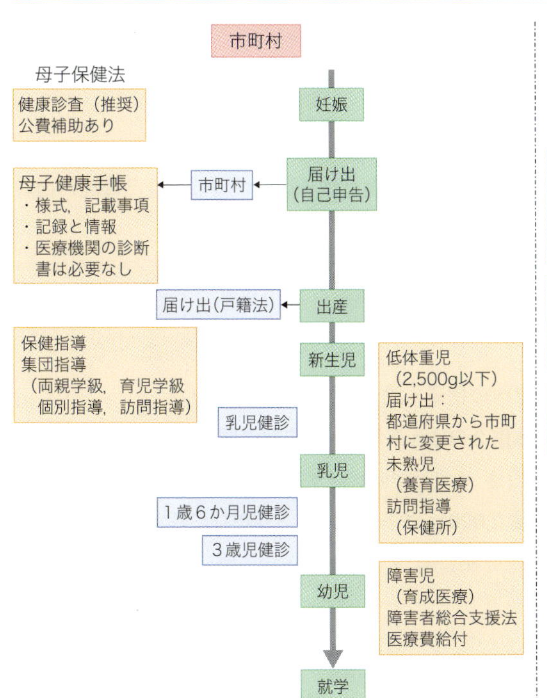

母親の保健（母性保健）と子どもの保健（小児保健）をあわせて母子保健としている.

・早期新生児：生後 1 週未満
・新生児：生後 4 週未満
・乳児：生後 1 年未満
・幼児：就学前
・周産期：妊娠 22 週以降

Ⅱ．市町村，都道府県，国の役割

母子保健法に基づく母子保健の主体は市町村である.

A 市町村の役割

1）母子健康手帳の発行

・妊娠の届け出（診断書不要，自己申告）に対し，**市町村長**が発行する.
・**記録**の様式は全国統一
・**情報**，体裁は各自治体が決める.
・妊婦健診，1 歳 6 か月児健診，3 歳児健診などの結果，自己管理の内容を記録する.

市町村への出生の届け出は，母子保健法でなく戸籍法に基づく.

2）低体重児・未熟児への指導・給付

・低体重児（**出生児体重 2,500 g 未満**）➡**市町村に届け出**➡医療費の給付，保健師による訪問指導

身体機能によって定義される

・未熟児（**出生児体重 2,000 g 以下**または生活力が特に薄弱な乳児）
➡訪問指導，母子保健法に基づく未熟児養育医療により医療費の自己負担分を給付

3）障害児への給付

・根拠法は，障害者総合支援法

・自立支援医療として機能障害の除去に関わる医療費の 9 割を給付

・自立支援医療には**更生医療（身体障害者），育成医療（身体障害児），**
精神通院医療がある．

4）母子健康包括支援センター（母子保健センター）の設置

・設置は市町村の努力義務

・業務内容：相談，保健指導

・低体重児≠未熟児
・低体重児：届け出
・未熟児：養育医療（母子保健法）
・障害児：育成医療，自立支援医療（障害者総合支援法）

母子保健法で義務化している健診は 1 歳 6 か月児健診と 3 歳児健診のみ
妊婦健診など他の健診は，市町村が母子保健事業として実施

B 都道府県の役割

1）B 型肝炎母子感染防止事業

全妊婦に対し HBs 抗原検査を行い（公費），陽性者の出生児にワクチンを接種（健康保険適用）

2）新生児タンデムマススクリーニング（先天性代謝異常等検査）

すべての出生児に対して足の裏から採取した少量の血液を用いて内分泌性疾患，先天性代謝異常症の 16 ～ 22 の疾患を一度にスクリーニング

3）小児慢性特定疾患

悪性新生物など 14 の疾患群に罹患している児童に対し，医療費自己負担分の一部を給付（児童福祉法）

C 国の役割

健やか親子 21（第2次）

・21 世紀の母子保健の主要な取り組みを提示する国民運動計画
・児童虐待防止などさまざまな目標値が定められている.
・基盤課題と重点課題があり，詳細に目標値が定められている.

基盤課題：

・切れ目のない妊産婦・乳幼児への保健対策（健康水準の指標：むし歯のない 3 歳児の割合）
・学童期・思春期から成人期に向けた保健対策（健康水準の指標：歯肉に炎症がある 10 代の割合）
・子どもの健やかな成長を見守り育む地域づくり

重点課題：

・すべての子どもが健やかに育つ社会
・妊娠期からの児童虐待防止対策
・基盤課題として，「歯肉に炎症がある 10 代の割合」があり，中間目標 22.9%（2017 年），最終目標 20.0%（2022 年）が定められている（歯科疾患実態調査の結果で評価）.

Ⅲ．児童虐待

A 児童虐待防止法による分類

①身体的虐待
②性的虐待
③ネグレクト
④心理的虐待

経済的虐待は児童虐待防止法の定義に含まれていない

最も多い（④心理的虐待）

B 通告の義務

・児童虐待を発見したら**市町村**，**福祉事務所**，**児童相談所**に通告
・児童委員（民生委員）を通じてもよい.

C 児童虐待の早期発見

学校，児童福祉施設，**病院**その他児童の福祉に**業務上関係**のある団体および学校の教職員，児童福祉施設の職員，**医師**，**保健師**，弁護士その他児童の福祉に職務上関係のある者は，児童虐待を発見しやすい立場にあることを自覚し，児童虐待の**早期発見に努めなければならない**.

D 児童相談所

・根拠法：児童福祉法
・都道府県，指定都市に設置
・児童福祉司，児童心理司，医師が対応
・児童相談所長：児童の一時保護ができる.
・相談内容：①養護相談，②保健相談，③障害相談，④非行相談，
　⑤育成相談

E 児童虐待相談対応件数

・2020年度で**20万5,044件**となり，急速に増加している.

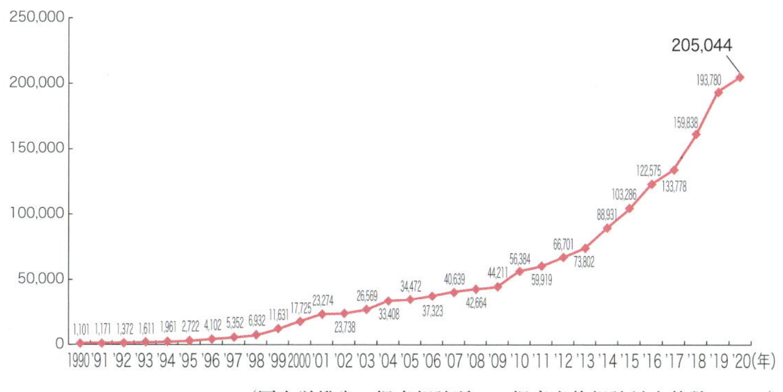

（厚生労働省，児童相談所での児童虐待相談対応件数，2020）

F 児童福祉法

児童福祉施設（保育所など），児童相談所，小児慢性特定疾病医療費の給付，結核児童に対する給付などを定めている．

G 子ども・子育て支援法

・子どものための現金給付（児童手当）および子どものための教育・保育給付が定められている．
・子ども子育て支援制度：市町村が主体となって行う．保育園の充実など

子育て支援に関する法規として，労働基準法（産前，産後休暇など），男女雇用機会均等法（通院休暇など），育児・介護休業法などが，他職種の国家試験では出題されている．

Chapter 12
学校保健

Check Point

- 学校保健の概要を理解する.
- 保健学習と保健指導を区別して理解する.
- 学校保健統計調査では被患率，う歯など独特な用語を使用する.
- 学校保健統計調査と歯科疾患実態調査の結果は必ずしも一致しないことを理解する.

Ⅰ．学校保健の領域（学校保健安全法）

- 学校とは，幼稚園，小学校，中学校，高等学校，中等教育学校，高等専門学校，大学（学校教育法），専修学校をさす.
- 保育園は福祉施設（厚生労働省管轄）である.
- 学校保健安全法により学校保健計画および学校安全計画の策定，およびそれらの実施が学校保健の領域として定められている.

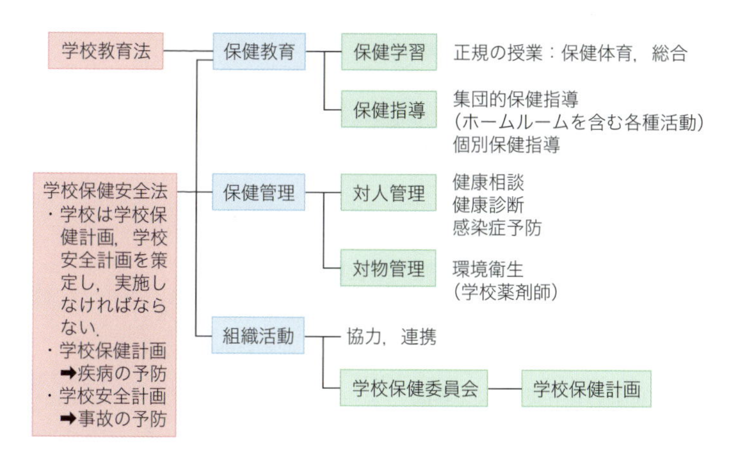

高等専門学校：実験・実習を重視した専門教育を行う，中学校卒業後に進学する５年間一貫教育の学校
専修学校：一般に「○○専門学校」とよばれているものは，学校教育法では専修学校となる．専修学校は，学校保健安全法に準ずるとされている．

国試では「専門学校の学生」という選択肢が出題された

CHECK! 保健学習と保健指導

・保健学習：保健体育の授業
・保健指導：学級，クラブ活動，児童保健委員会

Ⅱ．健康診断

健康診断の検査項目

幼稚園から大学までほぼ全員に実施するもの
身長，体重，栄養状態，眼，耳鼻咽頭，皮膚，結核，呼吸器，循環器，消化器，神経系
大学で省くことができるもの
座高，脊柱・胸郭（診察），視力，歯および口腔，尿（糖尿病）
大学，幼稚園で省くことができるもの
尿（糖尿病）
小学校，中学校のみ実施するもの
結核（診察）：ほぼ全員に実施，必要に応じてエックス線検査，喀痰検査（高校１年，大学１年も必要に応じて実施）
高校１年，大学１年のほぼ全員に実施するもの
結核（エックス線検査）
幼稚園から小学校３年までほぼ全員に実施するもの
寄生虫卵

・結果は **21 日以内に保護者に通知**（学生は本人に通知）．
・事後処置：学校医，学校歯科医，学校職員が行う．
・**対人管理の効果を高める**ために治療勧告，健康相談などを行う．
・健康教育に役立てる（保健学習の効果を高めるものではない）．
・健康診断票の保存期間は **5 年間**

学校保健

・**歯および口腔は大学，学校職員の健康診断で省くことができる**.

1）就学時健康診断

・**市区町村教育委員会**が行う.

・入学の **4 か月前まで**に行う.

2）定期健康診断

・各学校が行う.

・**6 月 30 日まで**に行う.

・学校保健統計調査（統計法：標本調査）のデータとなる.

3）臨時健康診断

各学校が行う.

食中毒が発生したとき，夏休み前などに実施
すべての児童，生徒，学生が対象になるわけではない

4）学校職員の健康診断

学校の設置者が行う（私立の場合は理事長）.

CHECK! 学校職員の健康診断

・学校職員の健康診断は学校保健安全法に基づく（労働安全衛生法ではない）
・健康診断の名称であるが，スクリーニングであり確定診断ではない.

Ⅲ．学校感染症

1）第一種

結核を除く，感染症法で一類，二類の疾患（→ p.150 参照）

2）第二種

インフルエンザなどの飛沫感染する疾患（かぜに似た症状），**結核**など

3）第三種

流行のおそれのある疾患（下痢と眼に症状がでる疾患）

4）出席停止と臨時休業

出席停止は学校長，臨時休業（学級閉鎖，学校閉鎖）は学校の設置者が決定

CHECK! 結核

結核は感染症法では二類，学校感染症では第二種（→ p.151 参照）

出席停止の期間の基準

第一種		治癒するまで
第二種	インフルエンザ	発症後5日を経過し，かつ解熱した後2日（幼児は3日）を経過するまで
	百日咳	特有の咳が消失するまで，または5日間の適正な抗菌薬による治療が終了するまで
	麻しん（はしか）	解熱した後3日を経過するまで
	流行性耳下腺炎（おたふくかぜ）	耳下腺，顎下線または舌下線の腫脹が発現した後5日を経過し，かつ全身状態が良好になるまで
	風しん（三日はしか）	発疹が消失するまで
	水痘（水ぼうそう）	すべての発疹が痂皮化するまで
	咽頭結膜熱（プール熱）	主要症状が消退した後2日を経過するまで
	結核，髄膜炎菌性髄膜炎	症状により学校医その他の医師において感染のおそれがないと認めるまで
第三種		症状により学校医その他の医師において感染のおそれがないと認めるまで

Ⅳ．学校保健委員会

		職員	根拠法	職務内容
常勤職員		学校の設置者	学校教育法 学校保健安全法	臨時休業の決定，学校三師の任命，職員の健康診断
		学校長	学校教育法 学校保健安全法	学校保健安全計画の決定，出席停止，定期健康診断・臨時健康診断の実施
		保健主事	学校教育法 施行規則	補佐
		養護教諭	学校教育法	応急処置，保健教育，健康相談，保健室運営
非常勤職員	学校三師	学校医	学校保健安全法	＜共通する職務＞ 学校保健安全計画の立案に参与，健康相談，保健指導，保健管理に関する専門事項の指導
		学校歯科医	学校保健安全法	
		学校薬剤師	学校保健安全法	

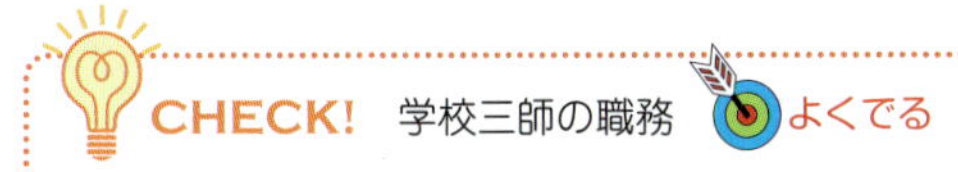

- 学校三師の職務：学校保健安全計画の立案に参与，健康相談，保健指導，保健管理に関する専門事項の指導
- 学校保健安全計画の決定は学校長の職務
- 保健学習は教諭の職務

学校三師の職務ではない

- 学校歯科医，学校医に共通する職務：健康診断（定期，臨時，就学時），疾病の予防処置
- 学校医の職務：職員の健康診断，感染症・食中毒の予防処置，学校環境衛生の維持・改善の指導
- 学校薬剤師の職務：環境衛生検査への従事，学校環境衛生の維持・改善の指導と助言，医薬品の管理

V．学校保健統計調査 基幹統計 毎年

・統計法に基づく．標本調査.

・すべての学校で行われている定期健診のデータの一部を毎年集計

疾病・異常の被患率など（2020 年）

区分	幼稚園	小学校	中学校	高等学校
60%以上～70%未満				裸眼視力 1.0 未満の者
50 ～ 60%			裸眼視力 1.0 未満の者	
40 ～ 50%		むし歯（う歯）		むし歯（う歯）
30 ～ 40%	むし歯（う歯）	裸眼視力 1.0 未満の者	むし歯（う歯）	
20 ～ 30%	裸眼視力 1.0 未満の者			
10 ～ 20%		鼻・副鼻腔疾患	鼻・副鼻腔疾患	

注）他は 10%以下（文部科学省，学校保健統計調査，2020）

最新データはホームページで確認！（→ p.192 参照）

CHECK! 2020年度の結果の概要

・う歯被患率：経年的に減少傾向
・裸眼視力 1.0 未満：経年的に横ばい．年齢とともに増加
・小学生に被患率のピーク：アトピー性皮膚炎，喘息，耳疾患，鼻・副鼻腔疾患

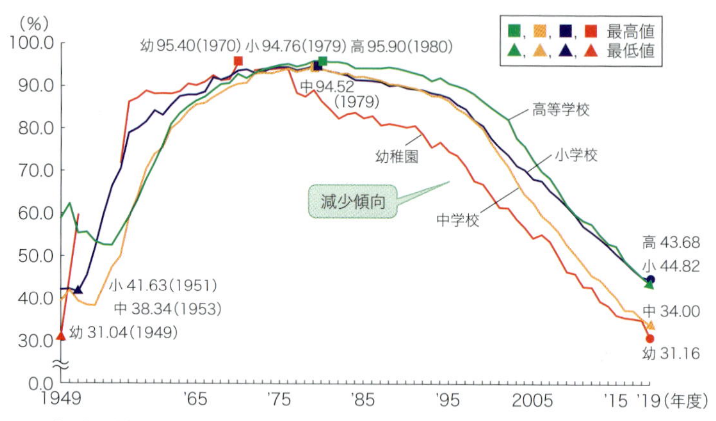

むし歯（う歯）の者の割合の推移
注）幼稚園については，1952〜1955 年度および 1971 年度は調査していない．
（厚生労働省，学校保健統計調査，2019）

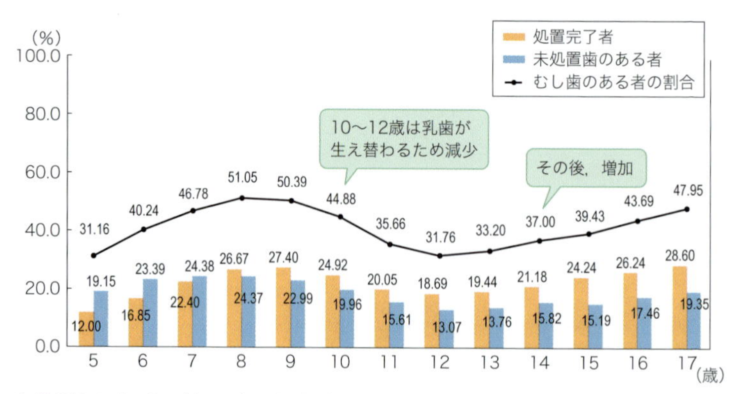

年齢別むし歯（う歯）の者の割合（2019 年度）
（厚生労働省，学校保健統計調査，2019）

Chapter 13
成人保健

Check Point

・「成人保健＝生活習慣病の予防」であることを理解する．
・特定健康診査・特定保健指導の階層化の基準と，メタボリックシンドロームの診断基準は一部異なることに注意する．

Ⅰ．生活習慣病とは

定義 ：食習慣，運動習慣，休養，喫煙，飲酒，歯磨きなどの生活習慣が，その発症・進展に関与する疾患群

・遺伝因子の寄与が大きい疾患・感染症・自己免疫疾患以外の疾患
・がん，循環器疾患，2 型糖尿病が代表的

1 型糖尿病は遺伝性疾患（生活習慣病ではない）
2 型糖尿病は生活習慣病

Ⅱ．メタボリックシンドロームの予防

定義 ：内臓脂肪型肥満を基盤として，高血糖，脂質代謝異常，高血圧が集積し，動脈硬化性疾患の発症リスクが高くなった疾患

A 特定健康診査（特定健診）・特定保健指導

・**メタボリックシンドローム**に着目した健診制度
・**高齢者の医療の確保に関する法律**により規定

・**ハイリスクアプローチ**を基本とする.

1）実施主体

医療保険者（市町村・特別区・各種協会・各種組合）

2）対象

40 ～ 74 歳の被保険者，被扶養者

3）目的

・メタボリックシンドローム該当者，予備軍を抽出し，保健指導によりリスクを低減させる.

・医療保険のレセプトをアウトカム評価に活用

4）健診項目と基準

項目		特定健康診査・特定保健指導	メタボリックシンドロームの診断基準
腹囲		男性 85 cm 以上　女性 90 cm 以上	必須項目
BMI		25 以上 （腹囲がマイナスのときに測定）	――
階層化の判定項目	血糖	空腹時血糖 100 mg/dL 以上または HbA1c	空腹時血糖 110 mg/dL 以上　選択項目
	脂質	トリグリセリド 150 mg/dL 以上または HDL コレステロール 40 mg/dL 以下	高トリグリセリド血症 150 mg/dL 以上かつ，または低 HDL コレステロール 40 mg/dL 以下　選択項目
	血圧	収縮期血圧 130 mmHg 以上または拡張期血圧 85 mmHg 以上	選択項目
	喫煙歴	血糖，脂質，血圧が 1 つ以上あるときにカウント	――

・脂質，血圧はどちらか 1 項目でプラス
・血糖，脂質，血圧は治療中であればプラス

CHECK!

・特定健康診査・特定保健指導の階層化の基準とメタボリックシンドロームの診断基準は一部異なることに注意！
・（第三期改訂で）標準的な問診項目に「人と比較して食べる速度が速い」の項目が加わった.
・保健指導で歯科医師は研修を受けなくても 3 か月以上の継続的支援の栄養指導ができるようになった.

CHECK!

・男女で判定基準が異なるのは腹囲のみ（男性 85 cm 以上，女性 90 cm 以上）
・LDL コレステロールを誤答肢に入れている問題が頻出

5）判定方法

（1）特定健康診査・特定保健指導

腹囲	BMI	階層化の判定項目	メタボリックシンドロームの判定	支援
○		2 個以上	該当者	積極的支援
○		1 個	予備軍	動機づけ支援
×	○	3 個以上	該当者	積極的支援
×	○	1 個以上	予備軍	動機づけ支援
×	×		非該当	情報提供

（2）メタボリックシンドロームの診断基準

必須項目（腹囲）と選択項目 2 個以上該当で，メタボリックシンドロームと診断する．

6）支援

（1）メタボリックシンドローム予備軍

動機づけ支援（原則 1 回の面接支援と 6 か月後の評価）

（2）メタボリックシンドローム該当者

積極的支援（3 か月以上の定期的・継続的支援，6 か月後の評価）

CHECK! BMI

BMI ＝（体重 kg）÷（身長 m）^{2}

BMI	判定	
＜18.5	低体重	
≧18.5〜25＞	普通体重	
≧25〜30＞	肥満 1 度	肥満
≧30〜35＞	肥満 2 度	
≧35〜40＞	肥満 3 度	
≧40	肥満 4 度	

Ⅲ．がんの予防

A がん検診

・健康増進法に基づく市町村の努力義務
・胃がん，肺がん，大腸がん，子宮がん，乳がんに対し実施

B がん対策基本法

がん対策基本計画の策定（がんの予防，早期発見の推進など）

C 地域がん登録

データベースの作成（国立がん研究センターが集計）→ p.64 参照

Ⅳ．がん，循環器疾患のリスク因子

1）がんのリスク因子

・部位ごとに異なる．
・喫煙（ほとんどのがん），飲酒（食道がん，肝臓がんなど），野菜不足（胃など），塩分摂取（胃がん，食道がん），肥満（食道など），運動不足（直腸がん，結腸がん）

2）循環器疾患のリスク因子，増悪因子

・高血圧，喫煙，飲酒，糖尿病，高血糖，脂質異常症，ストレスなど
・心疾患は脳血管疾患のリスク因子

V．喫煙対策

喫煙は歯周病，がん，循環器疾患のリスク因子

A たばこの成分と毒性

ニコチン	精神作用，血圧上昇，末梢血管の収縮，心収縮力の増加，依存症
一酸化炭素	虚血性心疾患，末梢動脈疾患，慢性呼吸器疾患，妊娠時の胎児への影響
タール	たばこ煙の固形物質の総称，発がん性
タール中の成分	ベンゾ〔a〕ピレン，ジメチルニトロソアミン，メチルエチルニトロソアミンなど

主流煙より副流煙のほうが粒子状物質は多く，有害物質の濃度も高い！

B 健康日本21（第二次）

1）目標

（1）成人の喫煙率の減少

喫煙率は，欧米諸国と比較して男性で高く，女性では低い（国民健康栄養調査2016，2017，2018）．

（2）未成年の喫煙者をなくす

未成年の喫煙を禁止しているのは未成年者喫煙禁止法

（3）妊娠中の喫煙をなくす

（4）受動喫煙の機会を有する者の割合の減少

（5）受動喫煙防止策

健康増進法

（6）世界禁煙デー：5月31日（火）

・WHOが定める．

・日本は「たばこの規制に関する世界保健機関枠組条約」（WHO）を締結（広告・販売への規制，密輸対策）

C 禁煙指導（行動変容）

行動変容段階	支援策	具体的な内容
無関心期	情報提供	禁煙のメリットに関する情報を提供
関心期	動機づけ	喫煙している自分，禁煙している自分をイメージ
準備期	計画支援	ニコチン代替療法の情報提供，禁煙の意思確認，禁煙開始日の設定，喫煙本数の目標設定など
実行期	意欲強化，報酬	禁煙しやすい環境づくり
維持期	実行のための問題があれば解決	

- たばこ依存にはニコチン依存と心理的依存がある．
- ニコチン依存には禁煙補助剤によるニコチン代替療法が有効．ただし歯科医師は禁煙補助剤を処方できない．
- 低ニコチンたばこ，喫煙本数の減少は効果がないとされている．
- 医療施設内での喫煙は法的な規制はない．

Chapter 14
産業保健

Check Point

・産業保健では一次予防が主体．トータル・ヘルスプロモーション・プランは一次予防であることを理解する．
・作業管理，作業環境管理の区別を理解する．
・健康診断の種類を整理して覚える．

I．産業保健の概要

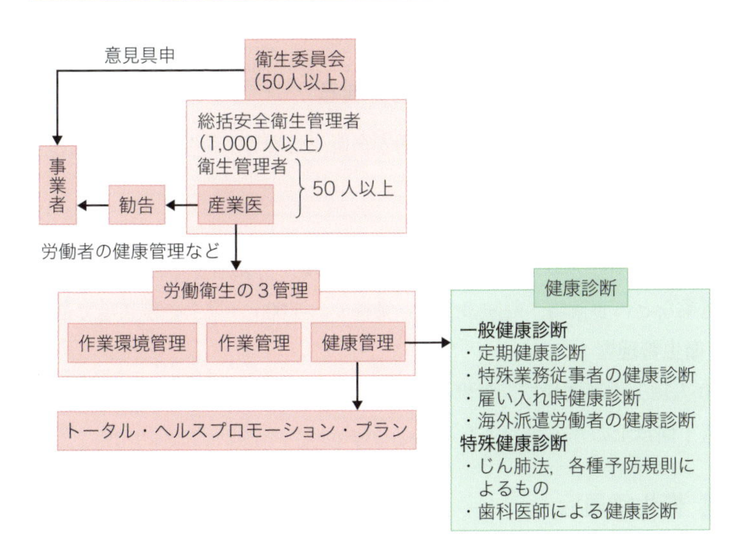

Ⅱ．労働基準法

・労働時間：1日8時間，週40時間（休憩時間を除く）
・年少者の労働制限（15歳未満の就労禁止）
・妊産婦の就業制限（産前6週，産後8週就業禁止）
・男女同一賃金
・災害補償
・育児時間：満1年に達しない生児を育てる女性が1日2回（各30分）取得できる．

Ⅲ．労働安全衛生法

衛生管理者，衛生委員会，産業医，作業環境管理，作業管理，健康管理，健康管理手帳，トータル・ヘルスプロモーション・プランについて規定

労働基準法との違いに注意！

A 総括安全衛生管理者，衛生管理者

事業場の種類，規模に応じて総括安全衛生管理者，衛生管理者を選任

1）総括安全衛生管理者

・安全管理者と衛生管理者を指揮
・労働者が100人以上の運送業などの事業場，労働者が300人以上の製造業などの事業場，危険の少ない業種では1,000人以上の事業場で選任

2）衛生管理者

・50人以上の事業場で，労働者の人数に応じた人数を選任
・週1回以上の作業場の定期巡視

B 衛生委員会

・事業者は常時50人以上の労働者を使用する事業所ごとに衛生委員会を設ける．
・衛生委員会は労働者の健康障害防止の基本施策などを事業者に意見する．

C 産業医

1）要件

労働衛生コンサルタント試験に合格，日本医師会の講習受講などいくつかの条件を満たす者

2）選任義務

・常時 50 人以上の事業場（非常勤可）

・常時 500 人以上の有害作業（専属）

・常時 1,000 人以上の事業場（専属）

3）職務

健康診断，作業管理，職場巡視，事業者への健康管理などについての勧告など

産業歯科医は健康診断を行う歯科医師をさすが，法的に認められた資格ではない．学校歯科医は法的に認められている．

D 労働衛生の 3 管理

1）作業環境管理

（1）有害物質の除去　最優先！

（2）環境測定（作業環境測定士）：有害ガスの測定など

（3）遠隔操作

（4）全体換気　改善は労働衛生コンサルタントが行う

CHECK! 労働衛生コンサルタント

・労働者の衛生水準の向上をはかるため，事業場の衛生について診断，指導を行う．

・歯科医師は労働衛生コンサルタントの受験資格がある．

2）作業管理（作業内容，作業方法の管理）

（1）作業姿勢

（2）曝露時間

（3）防塵マスクの着用（じん肺症予防），休憩

3）健康管理

（1）健康診断

①一般健康診断（すべての労働者）

・定期健康診断：常時使用する労働者に1年に1回以上．時期は決まっていない．

・特定業務従事者の健康診断：6か月以内に1回

・雇い入れ時健康診断：常時使用する労働者を雇い入れるときに実施

・海外派遣労働者の健康診断：6か月以上の海外勤務の前後に実施

②**特殊健康診断**（有害作業に従事する者）

産業保健で歯科医師の健診が決まっているのはこれだけ！

・じん肺法，各種予防規則で定められているもの

・**歯科医師による健康診断（6か月以内に1回，雇い入れ時，配置転換時）**：**塩酸**，**硝酸**，**硫酸**，**亜硫酸**，**弗化水素**，**黄りん**（**酸**：酸蝕症，黄りん：潰瘍性口内炎，顎骨壊死）

カドミウムは健診対象外

酸蝕症：メッキ工場，バッテリー工場，化学物質製造工場で多い．二酸化硫黄は水に溶解すると硫酸になる．

（2）事後措置

・文書で結果を労働者に報告

・事業者は医師の意見により作業場所の変更などの措置

・50人以上の労働者の場合，事業者は労働基準監督署長に結果を報告

E トータル・ヘルスプロモーション・プラン（THP） よくでる

・すべての働く人を対象とした「心とからだの健康づくり運動」

・労働者の健康保持増進を目的（一次予防）

・事業者の努力義務

・**すべての労働者に対して健康測定**

特定健診などのように「40 歳以上」のような条件がついていない

・必要に応じて：運動指導，保健指導，栄養指導，メンタルヘルスケア

ストレスチェック制度：労働安全衛生法の改正で，労働者が 50 人以上いる事業所で年 1 回，すべての労働者に対して実施することが義務付けられた．

F 職業上疾病，作業関連疾患

熱中症，潜函病，騒音性難聴，振動障害によるレイノー症候群，酸蝕症，じん肺，VDT 作業による頸肩腕症候群

じん肺：アスベストを長期吸入することによって生じた肺の線維性変化

Ⅳ．労働災害補償保険

・保険者：国

・被保険者：労働者

・事業者が労働基準監督署に届け出，**労働基準監督署長**が業務上疾病の**認定**

認定を行うのは医師，歯科医師ではない！

・労働災害による疾病は，健康保険ではなく**労働災害補償保険から支払われる**（申請が必要）．

・保険料は事業者が全額負担．

コラム：労働災害

・負傷に起因する疾病が最も多く，中でも災害性腰痛が最も多い．
・石綿による中皮腫の労働災害認定件数は，増加傾向にある．

Chapter 15
高齢者保健

Check Point
・介護保険制度を中心とした高齢者保健を理解する.
・地域包括ケアシステム，在宅医療など新しく出題範囲に加わった分野があるため注意する.

Ⅰ. ADL と IADL

ADL，IADL は介護保険認定の評価項目になっている.

1）ADL（Activity of Daily Living）：日常生活動作

移動，階段昇降，入浴，トイレの使用，食事，着衣，整容，排泄など

2）IADL（Instrumental Activity of Daily Living）：手段的日常生活動作

・何らかの操作を必要とする行動．手段的 ADL ともいう.
・買い物，炊事，洗濯，家事，服薬管理，金銭管理，外出など

発音，発語，嚥下は ADL，IADL に含まれない

Ⅱ．介護保険

・社会保険の１つ
・**40 歳以上**は強制加入（皆保険制度）
・市町村は介護保険事業計画を定める．

A 介護保険法

要介護状態の老人が能力に応じ自立した日常生活を営むことができるよう，療養上の管理，医療について必要なサービスと給付について定めている．

B 保険者，被保険者，保険料

・保険者：**市町村および特別区**
・第１号被保険者：**65 歳以上**
・第２号被保険者：**40 〜 64 歳**の医療保険加入者
・保険料は市町村，所得によって異なる．
・保険料は３年ごとに見直し

介護保険，医療保険，年金の被保険者

いずれも強制加入の国民皆保険制度であるが，すべての国民が加入しているのは医療保険のみ

<table>
<tr><th></th><th>20歳未満</th><th>20歳以上
40歳未満</th><th>40歳以上
60歳未満</th><th>60歳以上
65歳未満</th><th>65歳以上
74歳未満</th><th>75歳以上</th></tr>
<tr><td>介護保険</td><td colspan="2"></td><td colspan="2">第2号被保険者
（医療保険加入者）</td><td colspan="2">第1号被保険者</td></tr>
<tr><td rowspan="2">医療保険</td><td colspan="5">医療保険
（国民健康保険，被用者保険）</td><td>後期高齢者医療制度
（後期高齢者）</td></tr>
<tr><td colspan="4">医療保険
（国民健康保険，被用者保険）</td><td colspan="2">後期高齢者医療制度
（一定の障害がある者）</td></tr>
<tr><td>年金</td><td></td><td colspan="2">被保険者</td><td>働いている状況によって異なる</td><td colspan="2">老齢年金支給</td></tr>
</table>

C 財源

・自己負担額：1 割，2 割，3 割

・残りは，公費（50%）と保険料（50%）

公費	国	25%	50%
	都道府県	12.5%	
	市町村	12.5%	
保険料	第 1 号被保険者	20%	50%
	第 2 号被保険者	30%	

保険料は市町村（第 1 号被保険者），医療保険者（第 2 号被保険者）が徴収

介護保険，高齢者医療の財源

〈介護保険〉

自己負担 10%	介護保険給付費 90%				
	保険料 50%		公費 50%		
	第1号保険者 20%	第2号保険者 30%	市町村 12.5%	都道府県 12.5%	国 25%

〈高齢者医療〉

一部負担金 10%	医療給付費 90%					
	保険料 10%	現役世代からの支援 40%		公費 50%		
		国民健康保険	被用者保険	市町村 1	都道府県 1	国 4

D 認定 よくでる

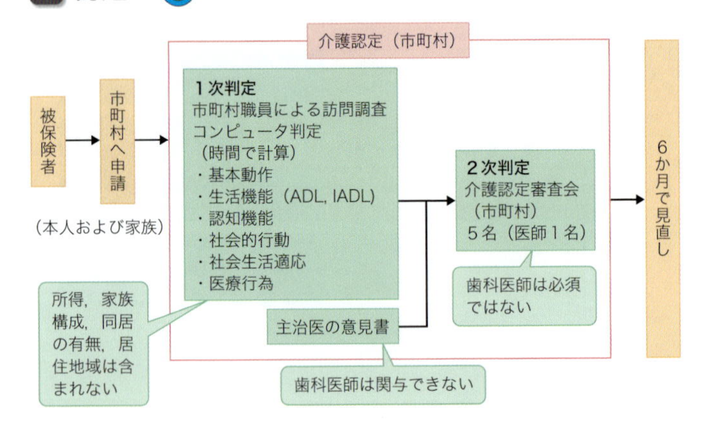

E ケアプラン作成

- **利用者がサービスを選択できる.** よくでる
- ケアプランは保健師，ケアマネジャーに依頼することも可能

CHECK! ケアマネジャー（介護支援専門員）

ケアプランを作成し，市町村，サービス事業者との連絡調整を行う．指定居宅介護事業者と介護保険３施設に配置が義務づけられている．

CHECK! 介護保険３施設

老人福祉法による特別養護老人ホームが一定の条件を満たすと，都道府県知事の承認を得て，介護老人福祉施設に認定される

施設		介護老人福祉施設	介護老人保健施設	介護医療院
対象者		常時介護を必要とする要介護者	リハビリテーションを必要とする要介護者	常時医学的管理が必要な要介護者
関連法規		介護保険法 老人福祉法	介護保険法 医療法	
管理者		医師でなくてもよい	原則医師	医師
100人あたりの人員基準	医師	１人（非常勤可）	常勤１名	常勤３名
	看護師	３人	９人	17 人
	介護職員	31 人	25 人	17 人
	ケアマネジャー	１人	１人	１人
	その他		理学療法士，作業療法士または言語聴覚士１名	理学療法士または作業療法士相当数

F サービス

<table>
<tr><th colspan="2">認定</th><th>要介護 1～5</th><th>要支援 1,2</th><th>非該当</th></tr>
<tr><td colspan="2">ケアプラン</td><td>ケアプラン
（利用者，ケアマネジャーが作成）</td><td>介護予防ケアプラン</td><td rowspan="2">――</td></tr>
<tr><td colspan="2">給付</td><td>介護給付</td><td>予防給付</td></tr>
<tr><td colspan="2">施設サービス</td><td>介護老人福祉施設
介護老人保健施設
介護医療院</td><td>――</td><td>――</td></tr>
<tr><td colspan="2">居宅</td><td>居宅サービス</td><td>介護予防サービス</td><td rowspan="6">――</td></tr>
<tr><td rowspan="3"></td><td>訪問</td><td colspan="2">介護
入浴
看護（看護師）
リハビリ（理学療法士，作業療法士）
居宅療養管理指導（医師，歯科医師，薬剤師，管理栄養士）</td></tr>
<tr><td>通所</td><td colspan="2">介護
リハビリ（介護老人保健施設，病院）</td></tr>
<tr><td>短期入所</td><td colspan="2">生活介護（特別養護老人ホーム）
療養介護（介護老人保健施設）</td></tr>
<tr><td colspan="2" rowspan="2">地域密着型</td><td>地域密着型サービス</td><td>地域密着型介護予防サービス</td></tr>
<tr><td colspan="2">小規模多機能型居宅介護
認知症対応型通所介護
認知症対応型共同生活介護
夜間対応型訪問介護
地域密着型特定施設入居者生活介護
地域密着型介護老人福祉施設入居者生活介護</td></tr>
<tr><td colspan="2">介護予防事業
市町村のサービス</td><td>――</td><td>――</td><td>介護予防教室や講演会，専門職による訪問指導・相談など</td></tr>
</table>

Ⅲ．高齢者の医療の確保に関する法律，医療法

A 高齢者の医療の確保に関する法律

・高齢者に対する医療保険

・**75 歳以上の高齢者は全員，高齢者医療制度に加入する．**

・財源の一部を現役世代からの補助金でまかなう.
・特定健康診査・特定保健指導を規定
・自己負担額：1割，3割

医療費支払いの基本的な流れは他の医療保険と同じ

B 医療法

まず，医療法に基づき病院，診療所を開設する．その後，介護保険法に基づいて介護老人保健施設，介護医療院として開設する．

介護保険施設，介護医療院は，病院，診療所（あるいはその一部）である！

Ⅳ．老人福祉

A 老人福祉法

・老人の福祉のために，都道府県，市町村，保健所の役割，老人福祉計画，在宅福祉，老人福祉施設，有料老人ホームなどについて定めている．
・老人福祉法では，**市町村**は老人福祉供給体制の確保に関する**市町村老人福祉計画を定める**よう決められている．
・老人の最低限の生活を守るため，市町村が介護にかかわるサービスを提供する．

B 老人居宅生活支援事業

・老人福祉法で規定
・老人居宅介護等事業
・老人デイサービス事業
・小規模多機能型居宅介護事業
・複合型短期入所事業
・認知症対応型老人共同生活支援事業

介護保険によるサービスとほぼ同様のサービスが別名で提供されている

C 施設

1）老人福祉法で規定されている福祉施設

入所施設	特別養護老人ホーム	措置入所
	養護老人ホーム	措置入所
	軽費老人ホーム	契約入所
通所施設	老人介護支援センター	
	老人福祉センター	
その他	老人デイサービスセンター	
	老人短期入所施設	

2）老人福祉法で規定されていない施設

・高齢者生活福祉センター

・老人憩いの家

・老人休養ホーム

V. 保健・医療・福祉・介護の制度と連携の要点

施設とサービスの関係は，介護保険法，医療法，老人福祉法が絡み合い非常に複雑で理解しにくい．p.135の図と照らし合わせて理解するとよい．

A（介護保険で利用できる）サービス

①施設サービス

②居宅サービス：訪問，通所，短期入所，その他（福祉用具貸し付けなど）

③地域密着型サービス

B 施設

1）介護保険で規定される施設

①介護老人福祉施設

②介護老人保健施設

③介護医療院

2）老人福祉法で規定される施設

①経費老人ホーム

②養護老人ホーム

③特別養護老人ホーム

CHECK! 施設の開設

軽費老人ホーム，**養護老人ホーム**：老人福祉法に基づき設置

介護老人福祉施設：まず老人福祉法に基づき**特別養護老人ホーム**を開設または指定，その後，介護保険法に基づき介護老人福祉施設としての指定を受ける．

介護老人保健施設，**介護医療院**：まず医療法に基づき病院，診療所として開設，その後，介護保険法に基づき介護老人福祉施設，介護医療院として開設

C サービスの利用

1）施設サービス

要介護認定者，要支援認定者で異なる．

(1) 要介護認定者

・施設サービスを利用できる．

・一定の条件を満たせば老人福祉施設への入所も可能

(2) 要支援認定者

・施設サービスを**利用できない**．

・一定の条件を満たせば**老人福祉施設への入所は可能**

2）居宅サービス

・要介護認定者，要支援認定者ともに利用できる．

・**短期入所**できる施設

①**療養介護**：介護老人保健施設，介護医療院

②**生活介護**：介護老人福祉施設

3）通所サービス

要介護認定者，要支援認定者ともに利用できる．

（1）**通所介護（デイサービス）**：老人デイサービスセンター

（2）**通所リハビリテーション（デイケア）**：老人介護保健施設

4）地域密着型サービス

・要介護認定者，要支援認定者ともに利用できるが，要支援認定者が利用できるサービスは一部である．

・特に認知症の高齢者に対応したサービスがある．

①**認知症対応型共同生活介護（グループホーム）**：認知症の高齢者が共同生活する施設

②**認知症対応型通所介護**：認知症の高齢者に対して施設までの送迎，施設での食事や入浴などのサービスを提供

③**地域密着型介護老人福祉施設入所者生活介護**：地域密着型サービスの中で，介護保険法で規定される施設サービス

④**地域密着型特定施設入居者介護**：老人福祉法で規定される養護老人ホーム，軽費老人ホームの入居者のほか，有料老人ホームなどの入居者が，地域密着型サービスで利用できる介護，リハビリなどのサービス

CHECK! 施設入所者の居宅サービス利用

・居宅サービスは在宅者を対象としたものであるが，介護保険法で認定された施設の入所者でも利用できるものがある．

・老人福祉法で規定された経費老人ホーム，養護老人ホーム入所者は居宅サービスを利用できる．

D 訪問診療・往診の扱い

・歯科医師が行う施設入所者，**在宅者に対する訪問診療・往診は，医療保険**で算定し，**介護保険の対象にはならない**．

・訪問診療・往診の際に居宅介護支援事業者などへの情報提供，**家族などへの指導**・助言を行った場合は介護保険から**居宅指導管理料を算定**する．

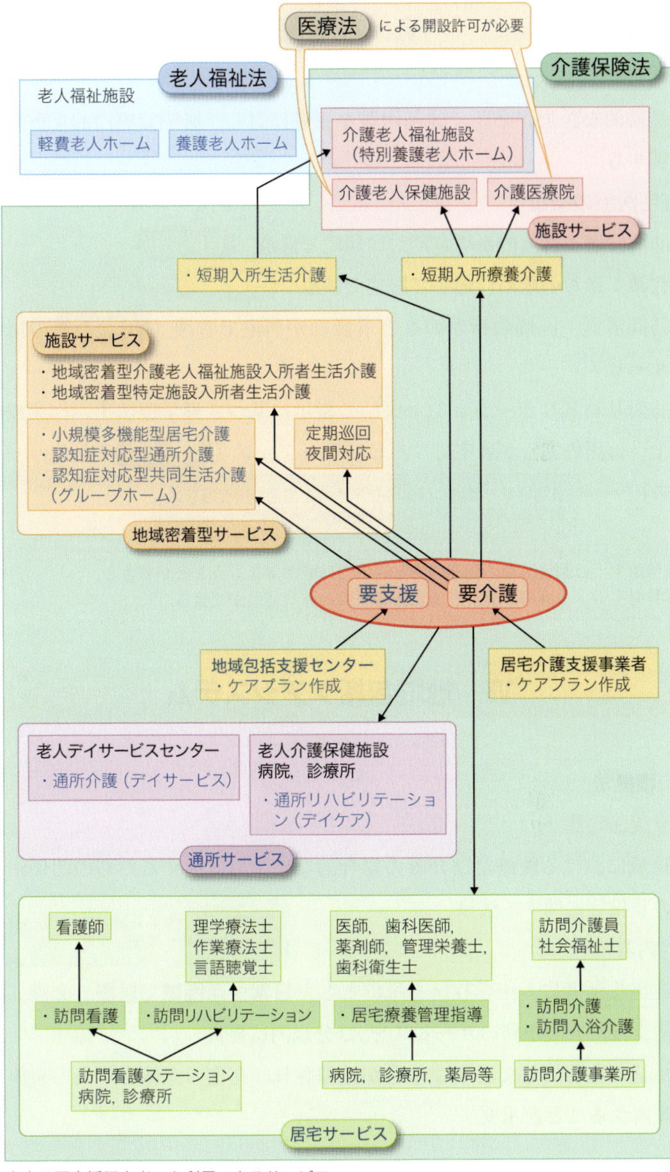

青字は要支援認定者でも利用できるサービス

Ⅵ. 在宅医療

継続的な医療が必要で通院困難な患者に対し，居宅で専門的な医療を提供する．

在宅医療の種類

①訪問診療：計画的かつ定期的に居宅で診療 医療保険

②往診：患者の求めに応じて居宅で診療 医療保険

③訪問看護：医師の指示のもと看護師が居宅で看護（介護保険の居宅サービス）

④訪問リハビリテーション：医師の指示に基づき理学療法士，作業療法士，言語聴覚士が居宅でリハビリテーション（介護保険の居宅サービス）

言語聴覚士は歯科医師の指示のもと居宅で摂食嚥下に関するリハビリテーションを行うことができる

歯科衛生士は歯科医師の指導のもと居宅で口腔ケアを行うことができる．
歯科衛生士，看護師，准看護師は歯科医師の診療補助ができる．

Ⅶ. 地域包括ケアシステム

1）根拠法

・介護保険法

・地域における医療及び介護の総合的な確保を推進するための関係法律の整備等に関する法律

2）内容

専門職が提供する介護，リハビリテーション，医療，看護，保健，予防

・在宅生活者に，中学校区を単位とした**日常生活圏域**で医療，介護，生活支援，介護予防のサービスを 30 分以内に提供

・生活の基盤として必要な住居が整備され，在宅の意味を本人，家族が理解することが重要

3）５つの構成要素

①住まいと住まい方

②生活支援・福祉サービス

・サービス化できる支援：食事の提供など

・インフォーマルな支援：近隣住民の見守り，声かけなど

・福祉サービス：生活困窮者に対する支援

・老人クラブ，自治会，ボランティア，NPO 法人など

③介護

④医療

⑤予防

4）費用負担による区分

①公助：高齢者福祉事業，生活保護など（税による公の負担）

②共助：社会保険制度およびサービス（リスクを共有する被保険者による負担）

③自助：セルフケア，市場サービスの導入（自分のことは自分でする）

④互助：住民組織の活動，ボランティア活動（費用負担が制度的に裏付けられていない）

Ⅷ. 介護・日常生活支援総合事業

・地域包括ケアシステムに欠かせない取り組み
・介護保険制度における市町村による事業
・要支援者などに対する効果的，効率的な支援などを可能とすることを目指す．
・地域の実情にあわせて住民などが主体的に参画
・多様なサービスを充実させ，地域の支え合い体制づくりを推進
・民間によるサービス提供が可能
・基本チェックリストを使用して適したサービスを提供する．
・基本チェックリストには噛めない，口の渇き，むせ，の口腔に関する3項目が含まれる．
・要支援者，基本チェックリスト該当者を対象とする．
例）口腔機能向上事業

Ⅸ. 新オレンジプラン（認知症施策推進総合戦略）：認知症対策

・認知症の人の意思の尊重，住み慣れた地域で暮らし続けることができる社会の実現を目指す．

新オレンジプランの７つの柱

1. 普及啓発
2. 医療・介護等
3. 若年性認知症
4. 介護者支援
5. 認知症などの高齢者にやさしい地域づくり
6. 研究開発
7. １～６を支える認知症の人やご家族の視点の重視

X．地域包括支援センター

・介護保険法で規定
・高齢者を総合的に支援するための拠点
・市町村が設置し，**保健師**，**主任ケアマネジャー**，**社会福祉士**を配置
・ケアマネジャーが行うケアマネジメントによる介護，医療，予防が生活支援と一体化して提供されることが重要

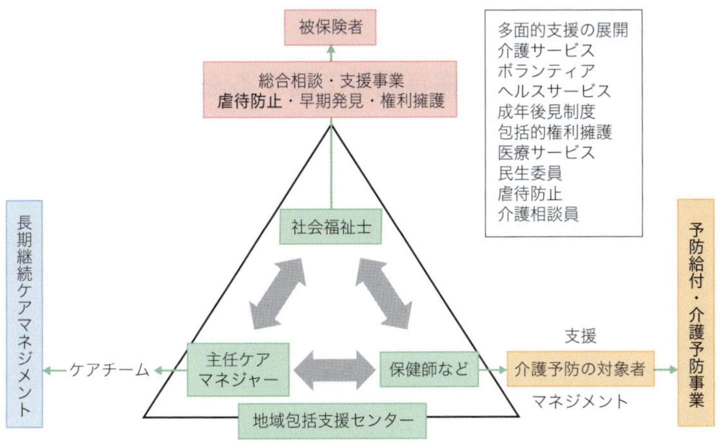

(厚生労働省ホームページ，地域包括支援センター（地域包括ケア）システムのイメージより改変)

要支援の認定を受けた者は地域包括支援センターでケアプランの作成を依頼できる．

Chapter 16
障害者・障害児の保健・福祉

Check Point

・入院形態について理解する.

Ⅰ. 障害者福祉に関する法律

法律		内容
障害者基本法		障害者の完全参加と平等を基本理念とし障害者福祉策を実施
障害の種類別	身体障害者福祉法	福祉の措置
	知的障害者福祉法	福祉の措置
	精神保健福祉法	精神保健福祉センター, 精神保健指定医の指定
	発達障害者支援法	保健・教育などの支援
	児童福祉法	福祉の措置, 児童相談所
障害者総合支援法		障害の種類に関わらない共通した自立支援 障害福祉サービスにかかわる給付

Ⅱ. 障害者総合支援法

・自立支援給付：障害の種類にかかわらず, 市町村により全国一律に提供される障害者福祉サービス

・介護給付, 訓練等給付, 自立支援医療, 補装具（車いす）, 計画相談支援, 地域相談支援がある.

Ⅲ．精神保健福祉法

1）概要

・精神障害者の医療，保護

・社会復帰の促進

・自立と社会参加

・予防，国民の精神健康の保持，増進

2）精神保健指定医

厚生労働大臣が指定

3）入院形態

入院形態	同意	精神保健指定医の診察	権限
任意入院	本人	不要	精神病院管理者
医療保護入院	家族など	1人	
応急入院	得られない	1人	
措置入院	得られない	2人	都道府県知事
緊急措置入院	得られない	1人	

応急入院：急速を要するが家族の同意が得られない場合
措置入院：自傷，他傷の恐れがある場合
緊急措置入院：急速を要し自傷，他傷の恐れがある場合

4）精神保健福祉センター

・設置主体：都道府県，政令指定都市

・保健所への技術指導，技術支援，高度な相談などに対応

5）精神障害者保健福祉手帳

・都道府県知事に交付申請

・医療費負担が1割になる（公費医療の対象）.

CHECK!　精神保健での役割

保健所：地域精神保健活動の第一線，訪問指導・相談業務
市町村：相談，申請などに対応，障害福祉サービスを一元的に提供

Chapter 17

国際保健

Check Point

・主な国際機関について説明できる.
・WHO の機能や目標を説明できる.

Ⅰ. 主な国際機関

正式名称	略称	本部	特徴など
世界保健機関	WHO	ジュネーブ	国連の専門機関
国連児童基金	UNICEF	ニューヨーク	国連の内部機関，保健部門あり 子どもの基本的人権保護
国際労働機関	ILO	ジュネーブ	国連の専門機関 労働条件の改善，労働基準の設定
国連食糧農業機関	FAO	ローマ	国連の専門機関
経済協力開発機構	OECD	パリ	
国際連合	UN	ニューヨーク	
日本の政府開発援助	ODA		二国間協力と多国間協力があり，多くは二国間協力．二国間協力は JICA が主体．橋や観光施設の建設なども含み，援助の範囲は幅広く，病院の建設，保健制度の導入なども含む．
日本の二国間協力	JICA		外務省管轄の独立行政法人
非政府機構	NGO		
国際歯科医師連盟	FDI		各国の歯科医師会の集まり
国境なき医師団			医療・人道援助活動を行う民間・非営利の国際団体

国連の機関ではない

さまざまな団体がある

国際機関

国際協力と国際交流の機能に分かれ，多国間と二国間がある.
多国間協力：WHO，UNICEF
二国間協力：JICA，ODA
多国間交流：WHO，ILO，OCED，UN，FDI
二国間交流：NGO（二国間交流を行っている団体あり．日米～，日仏～などの名称）

Ⅱ．世界保健機関（WHO）

日本は西太平洋地域に属する．西太平洋地域事務所はマニラ

1）主要事業活動

・医学情報の総合調整
・国際保健事業の指導的かつ調整機関としての活動
・保健事業の強化についての世界各国への**技術協力**，専門家派遣による支援
・**感染症**およびその他の疾病の**撲滅事業**の促進
・**保健分野における研究の促進・指導**
・生物学的製剤および類似の医薬品，食品に関する国際的基準の発展・向上
・疫学調査の分析と結果の刊行

2）活動事例

(1) ポリオ根絶計画

わが国のJICAを通じた協力によりポリオ・ワクチンが供与され，1997年の発生例を最後として，2000年10月にWHOにより西太平洋地域からのポリオ根絶が宣言された.

(2) 新型インフルエンザ対策

緊急医療支援

3）付属機関

・国際がん研究機関（略称：IARC）

・WHO 健康開発総合研究センター（WHO 神戸センター，略称：WKC）

4）発展途上国の口腔保健戦略

発展途上国で実践するためには設備，電気がなくてもできることに限られる．

①**緊急治療**，②**健康教育**，③**フッ化物配合歯磨剤の普及**，④**低侵襲性修復法（ART）**

Common Risk Approach
・WHO が提唱した健康戦略の考え方
・喫煙，運動不足などは多くの疾病のリスク因子である．個々の疾病ごとに対策を立てるより，共通しているリスク因子に対策を立てたほうが効率的である．

Ⅲ．SDGs：持続可能な開発目標

・2015 年のミレニアム開発目標終了に伴い，国連総会で採択された持続可能な開発のための国際的な開発目標

・17 の世界的目標，169 の達成基準，232 の指標からなる．

・17 の世界的目標の 3 に「すべての人に健康と福祉を」がある．

Ⅳ．ユニバーサル・ヘルス・カバレッジ（UHC）

・すべての人が，適切な健康増進，予防，治療，機能回復に関するサービスを，支払い可能な費用で受けられること

・持続可能な開発目標（SDGs）のゴール（健康と福祉）の中で UHC の達成が掲げられている．

Chapter 18

感染症の予防

Check Point

・ワクチン（特異的予防）と感染症法について説明できる．
・微生物学，口腔外科学などと併せて理解する．

I．感染予防

A 感染予防の三原則

対策	対象	予防法
感染源対策	細菌やウイルスなどをもっている人や物，汚染された器具や食品	感染源と接触しない 例）滅菌，消毒，隔離，発症者の入院加療など
感染経路対策	接触感染，経口感染，飛沫感染，空気感染	体内に病原体を入れない 例）手洗い，マスク，消毒
感受性対策	抵抗力の弱い人（高齢者や乳幼児，基礎疾患がある人）	抵抗力を高める 例）健康増進，予防接種

インフルエンザに対する予防
・一次予防：予防接種（特異的予防），手洗い，流行地への渡航禁止
・二次予防：毎日の検温（早期発見），発熱外来の受診（早期治療）

B 感染源対策

1）滅菌

芽胞を完全に不活化することが可能な条件で，器具や培養液などを処理することをいう．

(1) 芽胞をつくる代表的な細菌

・**バシラス（バチルス）属**：炭疽菌（炭疽の病原菌），セレウス菌（食中毒起因菌の1つ）

・**クロストリジウム属**：破傷風菌，ボツリヌス菌，ウェルシュ菌

(2) 滅菌法

種類	方法	対象	特徴
火炎滅菌	火炎で数秒間加熱	白金線，白金耳，試験管口の滅菌	金属など，即時に使用可能
乾熱滅菌	160～170℃ 2～4 時間 180～200℃ 30分～1 時間	ガラスや金属製品など	蒸気の水分がつかないので便利
高圧蒸気滅菌（オートクレーブ）	121℃ 2 気圧 15～20 分蒸気で滅菌	高温高圧に耐えられない材質のものには適用できない	医療機関における器材の再使用のための蒸気滅菌の第一選択，安価
ケミクレーブガス滅菌	（エチレンオキサイドガス：EOG）によるアルキル化	オートクレーブが使用できないプラスチック製品	残留ガスが人体などに悪影響，工場規模で行う
ガンマ線滅菌	放射線による滅菌，低温でできる	オートクレーブが使用できないプラスチック製品	密閉（包装）されたものに対しても適用可能

その他：間欠滅菌，濾過滅菌，高周波による滅菌

(3) プリオンへの対応

・**プリオン**：感染性のたんぱく質．たんぱく質が誤って折りたたまれた（ミスフォールドした）状態を伝達することにより増殖する．

・ウシのウシ海綿状脳症（BSE，狂牛病），ヒトのクロイツフェルト＝ヤコブ病（CJD）に関与

・2 気圧（121℃）15 ～ 20 分間の**高圧蒸気滅菌で失活しない**ため，低温プラズマ滅菌が有効

CHECK! 低温プラズマ滅菌

高真空状態のチャンバー内に気化した過酸化水素ガスを注入し，高周波を与えることで過酸化水素ガスをプラズマ化し，フリーラジカルにより微生物を DNA レベルで不活化する滅菌法である．

2）消毒

感染力のある微生物を人に無害な状態にすることをいう．

主な消毒法

赤字は過去に出題！

区分	消毒剤	消毒対象微生物						用途
		一般細菌 緑膿菌 MRSA	結核菌	真菌	芽胞	一般ウイルス	HIV** B型肝炎ウイルス	
高水準	グルタラール	○	○	○	○	○	○	金属，非金属器具
	過酢酸	○	○	○	○	○	○	
	フタラール	○	○	○	○	○	○	
中水準	次亜塩素酸ナトリウム	○	○	○	△	○	○	排泄物処理，環境（床，トイレなど）
	ポビドンヨード	○	○	○	○	○	○	手指，皮膚，粘膜
	エタノール	○	○	○	×	△	○	皮膚，器具
	フェノール クレゾール石鹸液	○	○	○	×	△	○	排泄物処理
低水準	逆性石鹸（陽イオン界面活性剤） ベンザルコニウム塩化物 ベンゼトニウム塩化物　など	○	×	△	×	△	×	手指，皮膚，粘膜，器具，環境
	クロルヘキシジングルコン酸塩*	○	×	△	×	△	×	手指，皮膚，器具，環境

○：有効，△：一部有効，×：無効，不可

* クロルヘキシジングルコン酸塩は粘膜には使用禁忌．ただし，防腐剤として 0.05% の濃度まで使用することが認められている．

** B型肝炎ウイルス，HIV には高水準，中水準が有効

C 感染経路対策

水平感染	感染源から周囲に感染が伝わる	
	空気感染	肺結核，麻疹，水痘
	飛沫感染	百日咳，喉頭ジフテリア，マイコプラズマ肺炎，インフルエンザ，風疹，流行性耳下腺炎など
	接触感染	薬剤耐性菌（MRSA など），疥癬，流行性角結膜炎，性感染症など
	媒介物感染	B 型肝炎，C 型肝炎，コレラ，食中毒，レジオネラ（空調，池，土壌）
	媒介動物感染	コレラ，マラリア（蚊），オウム病（ツツガムシ），ペスト（ネズミに生息するダニ），西ナイルウイルス感染症（蚊）
垂直感染	母子感染	
	経胎内感染	風疹，梅毒，トキソプラズマ症，サイトメガロウイルス感染症，トキソプラズマ症
	経産道感染	B 型肝炎，HIV
	経母乳感染	HIV，HTLV-1

CHECK! 経口感染（水系感染）

・病原体に汚染された水や食物を摂取することによって口腔から感染する．
・媒介物感染の一種
・開発途上国で水の衛生状態が悪いときに起こるものが多い．
・コレラ，細菌性赤痢，レジオネラ症，A 型肝炎，E 型肝炎，クリプトスポリジウム症，ポリオ，ロタウイルスなど

CHECK! 内因感染，外因感染，病巣感染

・内因感染：宿主が保菌している菌による感染症．日和見感染，菌交代症など
・外因感染：宿主が保菌してなかった菌による感染症
・病巣感染：限局的な慢性感染部位から他の部位に感染が広がること

D 感受性対策

1）予防接種

予防接種法にもとづく**推奨接種**と自己責任による**任意接種**がある.

推奨接種	定期接種	A 類疾患（集団予防）	四種混合ワクチン（DPT-IPV）	ジフテリア	トキソイド	
				百日咳	コンポーネント	
				破傷風	トキソイド	
				ポリオ	不活化	
			麻疹[*1]		弱毒化	
			風疹[*1]		弱毒化	
			日本脳炎		不活化	
			結核（BCG）		弱毒化	
			Hib 感染症		コンポーネント	
			肺炎球菌感染症		不活化	小児
			ヒトパピローマウイルス感染症		遺伝子組換え	
			痘瘡		弱毒化	
			水痘		弱毒化	
			B 型肝炎		遺伝子組換え	0 歳児[*2]
		B 類疾患（個人予防）	肺炎球菌感染症		不活化	64, 69, 74, 79, 84, 89, 94 歳の者で，法令が定める者
			インフルエンザ（65 歳以上）		不活化	
	臨時接種：新型インフルエンザの発症など緊急の必要がある場合					
任意接種	B 型肝炎				遺伝子組換え	医療従事者
	流行性耳下腺炎				弱毒化	
	インフルエンザ				不活化	毎年 10 月頃
	ロタウイルス				弱毒化	
	A 型肝炎				不活化	海外渡航者
	黄熱				弱毒化	

*1 麻疹，風疹は混合接種（MR）が推奨されている.

*2 出生直後 Hbs 抗原陽性の母親から生まれた Hbs 抗原陰性の乳児は出生 2 時間以内に接種を行うため定期接種から除外する.

2) ワクチン

AIDS, デング熱のワクチンはない！

弱毒化ワクチン（生ワクチン）		感染性を弱めた病原体
不活化ワクチン	不活化ワクチン	感染性をなくした病原体
	コンポーネントワクチン	病原体の抗原性の部分のみ
	遺伝子組換えワクチン	病原体の DNA を大腸菌などに遺伝子導入し作製
	トキソイド	病原体の毒素を精製し無毒化

Ⅱ．感染症法

一類は必ず覚えること！　二類，三類もできれば覚えよう．

分類	感染症名
一類感染症	エボラ出血熱，クリミア・コンゴ出血熱，痘そう，南米出血熱，ペスト，マールブルグ病，ラッサ熱
二類感染症	急性灰白髄炎，結核，ジフテリア，重症急性呼吸器症候群（SARS），中東呼吸器症候群（MERS），鳥インフルエンザ（H5N1），鳥インフルエンザ（H7N9）
三類感染症	コレラ，細菌性赤痢，腸管出血性大腸菌感染症，腸チフス，パラチフス
四類感染症	E 型肝炎，ウエストナイル熱，A 型肝炎，エキノコックス症，黄熱，オウム病，オムスク出血熱，回帰熱，キャサヌル森林病，Q 熱，狂犬病，コクシジオイデス症，サル痘，ジカウイルス感染症，重症熱性血小板減少症候群（フレボウイルス属 SFTS ウイルス），腎症候性出血熱，西部ウマ脳炎，ダニ媒介脳炎，炭疽，チクングニア熱，つつが虫病，デング熱，東部ウマ脳炎，鳥インフルエンザ〔鳥インフルエンザ（H5N1 および H7N9）を除く〕，ニパウイルス感染症，日本紅斑熱，日本脳炎，ハンタウイルス肺症候群，B ウイルス病，鼻疽，ブルセラ症，ベネズエラウマ脳炎，ヘンドラウイルス感染症，発しんチフス，ボツリヌス症，マラリア，野兎病，ライム病，リッサウイルス感染症，リフトバレー熱，類鼻疽，レジオネラ症，レプトスピラ症，ロッキー山紅斑熱
五類感染症（一部）	アメーバ赤痢，ウイルス性肝炎（E 型肝炎および A 型肝炎を除く），カルバペネム耐性腸内細菌科細菌感染症，クリプトスポリジウム症，クロイツフェルト・ヤコブ病，後天性免疫不全症候群（AIDS），ジアルジア症，先天性風しん症候群，梅毒，破傷風，バンコマイシン耐性黄色ブドウ球菌感染症，バンコマイシン耐性腸球菌感染症，百日咳，風疹，麻疹，薬剤耐性アシネトバクター感染症など
指定感染症	新型コロナウイルス感染症（COVID-19）(2020 年)
新感染症	
新型インフルエンザ等感染症	新型インフルエンザ，再興型インフルエンザ

性感染症は五類に分類

CHECK! 結核

・感染症法：二類感染症（学校感染症法では第二種）
・年間死亡数：約 2,000 人（感染症で最多，先進国中で高い値）
・生後 12 か月未満に BCG を接種（ツベルクリン反応は廃止）
・DOITOS（直接監視下短期化学療法）を推奨している．

CHECK! 指定感染症

・すでに知られている感染症の疾病（一，二，三類感染症および新型インフルエンザ等感染症を除く）であって，感染症法上の規定の全部または一部を準用しなければ，当該疾病の蔓延により国民の生命および健康に重大な影響を与えるおそれがあるものとして政令で定めるもの
・感染症法の入院等の処置を適用できる．
・指定の期間は 1 年間の期限がある．
・新型コロナウイルス感染症（COVID-19）は指定感染症に指定された．

CHECK! 新興感染症と再興感染症

・新興感染症：1990 年以降に新しく発生した感染症．重症急性呼吸器症候群（SARS），鳥インフルエンザ，中東呼吸器症候群（MERS）など
・再興感染症：近い将来に克服可能と考えられていた感染症で，再び発生した感染症．結核，マラリアなど（天然痘は撲滅されたので再興感染症にはならない）

Ⅲ．感染症発生動向調査

全数報告と定点観測に分かれる．

1）全数報告

一～四類感染症，および五類感染症の一部（AIDS，クリプトスポリジウム，風疹など）

2）定点観測

指定医療機関からの届け出（基幹定点医療機関，インフルエンザ定点医療機関など）

CHECK! 医師，獣医師の届け出義務がある感染症

- 一～四類感染症，および五類感染症の全数把握対象疾患（AIDS，クリプトスポリジウム，風疹など）
- 一類感染症は，都道府県知事が指定医療機関へ入院勧告（二類感染症にも準用）
- 歯科医師は診断できる疾患が限られるため届け出の義務はない．

Ⅳ．検疫感染症（検疫法）

1）検疫感染症

- 感染症法の一類感染症：すべて（→ p.150 参照）
- 感染症法の二類感染症：鳥インフルエンザ（H5N1），鳥インフルエンザ（H7N9），中東呼吸器症候群（MERS）
- 感染症法の四類感染症：デング熱，チクングニア熱，マラリア，ジカウイルス感染症
- 新型インフルエンザ

2）措置

感染者は隔離，感染の疑いのある者は停留

Ⅴ．スタンダードプリコーション（標準予防策）

- 「すべての血液，体液（涙，唾液，鼻汁など），また汗以外の分泌物（膿，喀痰など），損傷のある皮膚・粘膜は感染性病原体を含む可能性がある」という原則に基づく．
- 米国 CDC（国立疾病予防センター）が提唱

A 10の具体策

①手指衛生

②個人防護具の適切な使用

③呼吸器衛生：咳のエチケット

④適切な患者の配置

⑤患者に使用した器具の取り扱い

⑥環境の維持管理

⑦リネン類の取り扱い

⑧安全な注射手技

⑨腰椎穿刺における感染制御手技

⑩労働者の安全

B 個人防護具の着脱順序

装着時：手指衛生➡ガウン，エプロン➡マスク➡ゴーグル➡手袋

脱衣時：**手袋**➡手指衛生➡ゴーグル➡ガウン，エプロン➡マスク➡手指衛生

C 針刺し事故の対応

1）原因器材に血液などの汚染がない場合

傷の消毒を行い，責任者に報告する．

リキャップは厳禁！

2）原因器材に血液などの汚染がある場合

①すぐに傷口より血液をしぼり出し，流水で洗い流す．

②医療安全管理者に報告する．

③針刺し事故報告書に記入する．

④血液検査にてHBs抗原，HBs抗体，HCV抗体，HIV抗体を確認する．

・患者情報を確認し，必要に応じて患者から採血しB型肝炎，C型肝炎，HIV感染に関する患者情報を入手する．

・必要に応じてB型肝炎のワクチン接種をする．

B型肝炎はワクチンが有効！

CHECK! 院内感染対策委員会

・医療法では，すべての医療機関で医療安全の指針の策定が義務づけられ，病床を有する医療機関に院内感染対策のための委員会の設置が義務づけられている．
・院内感染対策の実施，院内感染発生時の対応などを担当する．

Ⅵ．医療廃棄物

A バイオハザードマーク

赤色：液状または泥状のもの（血液など）
橙色：固形状のもの（血液などが付着したガーゼなど）
黄色：鋭利なもの（注射針など）

B 感染性廃棄物の処理

・廃棄物管理票（マニフェスト）に記載する．
・管理者は処理が適正に行われているか確認する．
・都道府県知事に報告する．
・患者の体液に直接触れないもの（使用済みの薬瓶など）は感染性廃棄物に相当しない．
・感染性のおそれのある石膏模型などは特別管理産業廃棄物に相当する．
・産業廃棄物は事業主の責任で廃棄する．委託した処理業者が産業廃棄物を不法に処理した場合でも事業主の責任になる．

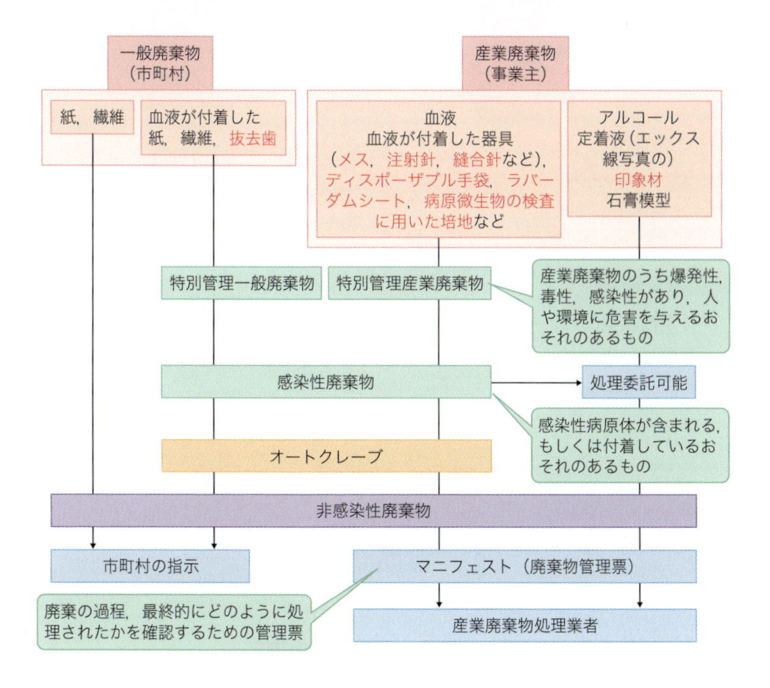

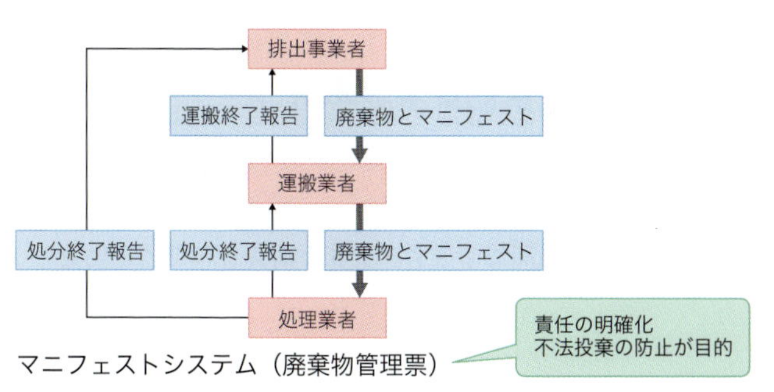

マニフェストシステム（廃棄物管理票）

Chapter 19

食品保健

Check Point

・特定機能食品の許可は健康増進法がかかわっていることを理解する.
・食中毒の事件数，患者数，死亡者数は毎年変化し，順位が入れ替わることに注意する.
・最近の傾向としてノロウイルスによる食中毒が最も多いことを理解する.

Ⅰ．食品衛生法

・すべての飲食物，添加物，器具，容器包装を規定
・食中毒の届け出義務

Ⅱ．食品安全基本法

・食品の安全性の確保についての基本理念
・国，地方自治体および食品関連事業者の責務と消費者の役割を規定

Ⅲ．食品表示法

・食品衛生法，複数の法律で定められていた表示を統一したもの
・内閣府令で「食品表示基準」が定められている．
・名称，アレルゲン，保存の方法，消費期限，原材料，添加物，栄養成分の量および熱量，原産地などの表示を義務化している．
・アレルゲンとなる特定原材料の表示の義務化，特定原材料に準ずるものの表示の推奨

特定原材料（7品目）

・卵，乳，小麦，落花生，えび，そば，かに
・特定原材料に準ずるもの（20品目）
・いくら，キウイフルーツ，くるみ，大豆，バナナ，やまいも，カシューナッツ，もも，ごま，さば，さけ，いか，鶏肉，りんご，まつたけ，あわび，オレンジ，牛肉，ゼラチン，豚肉

Ⅳ．特別用途用食品，保健機能食品

食品表示法，健康増進法によって規制される食品

<table>
<tr><td rowspan="3">特別用途食品</td><td colspan="3">病者用食品，妊産婦・授乳婦用粉乳，乳児用調整粉乳，えん下困難者用食品</td><td rowspan="3">消費者庁の許可が必要</td></tr>
<tr><td rowspan="4">保健機能食品</td><td>特定保健用食品</td><td>保健の効果を表示できる．むし歯になりにくい食品など</td></tr>
<tr><td>条件付き特定保健用食品</td><td>特定保健用食品として許可を受ける際の科学的根拠のレベルには届いていない．一定の有効性が確認されている食品</td></tr>
<tr><td rowspan="2"></td><td>栄養機能食品</td><td>ミネラル類5種類，ビタミン類12種類，n-3系脂肪酸のいずれかについて，厚生労働大臣が定める基準に従い栄養成分の機能の表示</td><td>国の規格基準に適合すれば表示可（届出不要）</td></tr>
<tr><td>機能性表示食品</td><td>事業者の責任において，科学的根拠に基づいた機能性を表示した食品</td><td>事業者の責任で表示</td></tr>
</table>

A 特別用途用食品

・医学・栄養学的な配慮が必要な対象者に使用する食品
・消費者庁の許可が必要

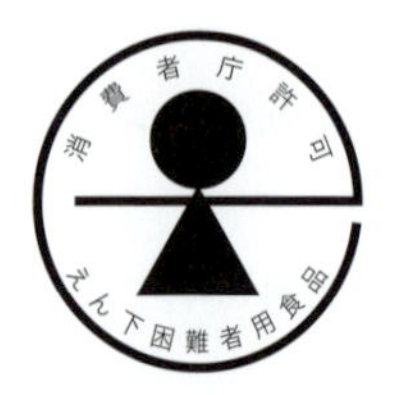

B 特定保健用食品

消費者庁の許可が必要

1）特定保健用食品（疾病リスク低減表示）

関与成分の疾病リスク低減効果が医学的，栄養学的に確立されている場合に，疾病リスク低減表示が認められた食品

2）特定保健用食品（規格基準型）

特定保健用食品としての許可実績が十分であるなど科学的根拠が蓄積されており，消費者庁の事務局において規格基準の適否が審査された食品

3）条件付き特定保健用食品

従来の特定保健用食品の許可条件に満たないが一定の有効性が確認される食品

C 栄養機能食品

・栄養素の補給のために利用される食品
・条件を満たしていれば消費者庁の個別の許可は必要ない．定められた基準に従って，製造者の自己認証

D 機能性表示食品

事業者の責任において科学的根拠に基づいた機能性を表示した食品

V．食中毒

A 食中毒統計

・事件数 887 件，患者数 14,613 名，死者数 3 名（厚生労働省食中毒発生状況，結果の概要，2020 年）
・施設別：事件数，患者数ともに飲食店が最も多い．
・原因物質：一般的に事件数では**カンピロバクター**，患者数では**ノロウイルス**が最も多い．

2020 年度はコロナの影響で大きく変化していた

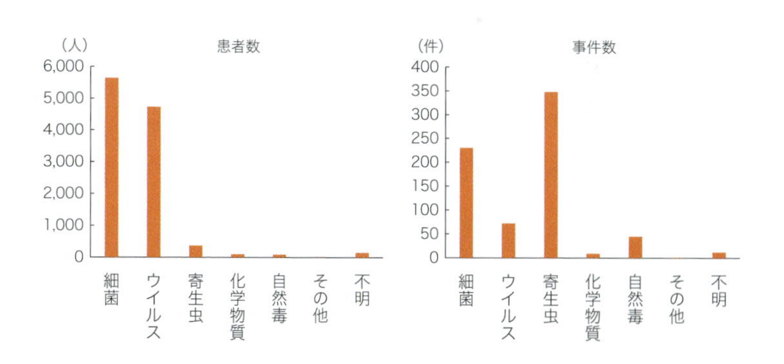

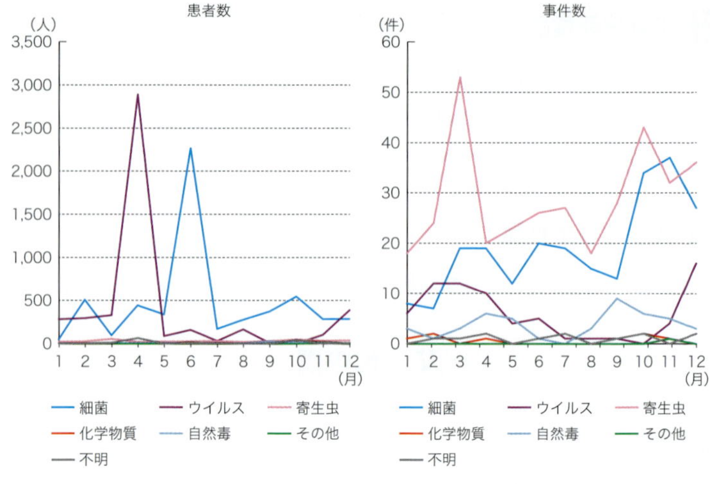

(厚生労働省, 食中毒統計調査, 2021)

食中毒の原因別の順位は毎年変わる.

B 食中毒の原因となる細菌，ウイルス

細菌は夏に多く，ウイルス（ノロウイルス）は冬に多い．

食中毒の原因となる細菌

型		原因細菌		毒素	加熱の有効性
毒素型		ボツリヌス菌		ボツリヌス毒素	有効
毒素型		黄色ブドウ球菌		エンテロトキシン	無効
毒素型		セレウス菌	嘔吐型	嘔吐毒	無効
感染型	生体内毒素型	セレウス菌	下痢型	エンテロトキシン	有効
感染型	生体内毒素型	ウエルシュ菌		エンテロトキシン	有効
感染型	生体内毒素型	腸炎ビブリオ		耐熱性溶血毒素	有効
感染型	生体内毒素型	コレラ菌		コレラ毒	有効
感染型	生体内毒素型	病原性大腸菌	毒素性大腸菌	エンテロトキシン	有効
感染型	生体内毒素型	病原性大腸菌	腸管出血性大腸菌	ベロ毒素	有効
感染型	生体内侵入型	病原性大腸菌	腸管病原性大腸菌		有効
感染型	生体内侵入型	病原性大腸菌	腸管組織侵入性大腸菌		有効
感染型	生体内侵入型	サルモネラ菌			有効
感染型	生体内侵入型	細菌性赤痢			有効
感染型	生体内侵入型	カンピロバクター			有効
感染型	生体内侵入型	腸チフス，パラチフス			有効

C 食中毒の原因となる自然毒

種類	毒素	毒素名	原因となる動植物	特徴
動物性自然毒	フグ毒	テトロドトキシン	フグ	耐熱性，神経毒，有毒プランクトン由来
動物性自然毒	麻痺性貝毒	サキシトキシン	ホタテ貝，アサリ	耐熱性，神経毒，有毒プランクトン由来
動物性自然毒	麻痺性貝毒	エンテトロドトキシン	ムラサキイガイ（ムール貝），カキ	耐熱性，神経毒，有毒プランクトン由来
動物性自然毒（生物濃縮）	下痢性貝毒	オカダ酸	ホタテ貝，アサリ，ムラサキイガイ，ホッキ貝	耐熱性，有毒プランクトン由来
動物性自然毒（生物濃縮）	シガテラ毒	シガトキシン	ウツボ，カマス	耐熱性，神経毒，有毒プランクトン由来
植物性自然毒	きのこ毒	ムスカリン	ベニテングタケ，イッポンシメジ	耐熱性，アルカロイド，神経毒
植物性自然毒	青梅毒	アミグダリン	青梅の種子	耐熱性，アルカロイド（青酸配糖体），神経毒
植物性自然毒	じゃがいも毒	ソラニン	ジャガイモの芽	耐熱性，アルカロイド，神経毒

Chapter 20
国民栄養の現状

Check Point

・日本人の食事摂取基準と食事バランスガイドについて説明できる．
・三大栄養素の構造，特徴，ビタミン不足による症状などの栄養素の生化学的な性質について理解する．

Ⅰ．栄養化学

→『パーフェクトマスター口腔生化学』参照

・三大栄養素（炭水化物，脂質，たんぱく質）
・不飽和脂肪酸
・必須アミノ酸
・ビタミン（欠乏症と過剰症）
・ミネラル（過剰症）

Ⅱ．日本人の食事摂取基準（2020 年）

・**健康増進法**に基づき**厚生労働大臣**が定める．
・策定目的：健康の保持・増進，**生活習慣病の発症予防**，重症化予防
・使用期間は 5 年
・性別，年齢区分別に数値が設定されている．
・健康な個人の指導，集団指導に利用できる．
・**個人の栄養指導に用いると効果的**
・高齢者の**フレイル**予防　2020 年版で追加された

推定平均必要量	半数の人が必要量を満たす量
推奨量	不足状態を示す人がほとんど観察されない量
目安量	一定の栄養状態を維持するのに十分な量
耐容上限量	過剰摂取による健康障害を未然に防ぐ量
目標量	生活習慣病の予防のために現在の日本人が当面の目標とすべき摂取量

推定平均必要量と推奨量の算定に十分な根拠がない場合に算定

推定平均必要量，推奨量と一緒に目安量が算定されている栄養素はない.

目的	種類
摂取不足の回避	推定平均必要量 推奨量（代替指標：目安量）
過剰摂取による健康障害の回避	耐容上限量
生活習慣病の予防	目標量

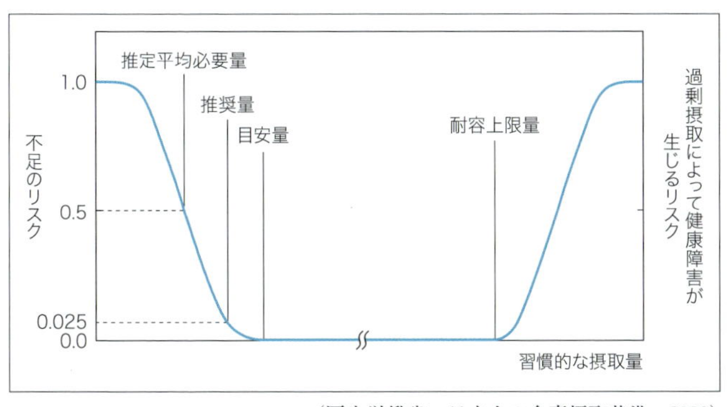

（厚生労働省，日本人の食事摂取基準，2020）

基準を策定した栄養素と設定した指標（1 歳以上）*1 よくでる

栄養素			推定平均必要量 (EAR)	推奨量 (RDA)	目安量 (AI)	耐容上限量 (UL)	目標量 (DG)
たんぱく質			○	○	—	—	○*2
脂質		脂質	—	—	—	—	○*2
		飽和脂肪酸	—	—	—	—	○
		n-6 系脂肪酸	—	—	○	—	—
		n-3 系脂肪酸	—	—	○	—	—
炭水化物		炭水化物	—	—	—	—	○*2
		食物繊維	—	—	—	—	○
エネルギー産生栄養素バランス*2			—	—	—	—	○
ビタミン	脂溶性	ビタミン A	○	○	—	○	—
		ビタミン D	—	—	○	○	—
		ビタミン E	—	—	○	○	—
		ビタミン K	—	—	○	—	—
	水溶性	ビタミン B_1	○	○	—	—	—
		ビタミン B_2	○	○	—	—	—
		ナイアシン	○	○	—	○	—
		ビタミン B_6	○	○	—	○	—
		ビタミン B_{12}	○	○	—	—	—
		葉酸	○	○	—	○*3	—
		パントテン酸	—	—	○	—	—
		ビオチン	—	—	○	—	—
		ビタミン C	○	○	—	—	—
ミネラル	多量	ナトリウム	○	—	—	—	○
		カリウム	—	—	○	—	○
		カルシウム	○	○	—	○	—
		マグネシウム	○	○	—	○*3	—
		リン	—	—	○	○	—
	微量	鉄	○	○	—	○	—
		亜鉛	○	○	—	○	—
		銅	○	○	—	○	—
		マンガン	—	—	○	○	—
		ヨウ素	○	○	—	○	—
		セレン	○	○	—	○	—
		クロム	—	—	○	○	—
		モリブデン	○	○	—	○	—

フッ素の基準は策定されていない

*1 一部の年齢階級についてだけ設定した場合も含む.
*2 たんぱく質，脂質，炭水化物（アルコール含む）が，総エネルギー摂取量に占めるべき割合（% エネルギー）.
*3 通常の食品以外からの摂取について定めた.

（厚生労働省，日本人の食事摂取基準，2020）

CHECK! 設定を見分けるルール

1. 目標量が決まっているもの：三大栄養素，食物繊維，エネルギー，ナトリウム，カリウム
2. たんぱく質とナトリウムは推定平均必要量が決まっている．たんぱく質は推奨量も決まっている．カリウムは目安量
3. ミネラルは下限，上限が決まっている（リン，マンガン，クロムは目安量）
4. ビタミンは下限が決まっている（ビタミンD，E，Kは目安量）
5. 脂溶性ビタミンと水溶性ビタミンの一部（ナイアシン，葉酸，ビタミン B_6）は耐容上限が決まっている（ビタミンKは例外）
6. 目安量のみ決まっているものはビタミンK，パントテン酸，ビオチン，脂肪酸

A 推定エネルギー必要量

①推定エネルギー必要量は基礎代謝量×**身体活動**レベルで算出

②基礎代謝量は性別，年齢，身長，**体重**で算出（BMIでは計算しない）

・身体活動レベル：Ⅰ低い，Ⅱふつう，Ⅲ高い

Ⅰ低い：デスクワーク，Ⅱふつう：営業，Ⅲ高い：肉体労働

・活用：食事摂取状況のアセスメント，体重，BMIの把握を行う．

・目標とするBMIは約20～24.9（年齢階層で異なる）

・エネルギーの過不足は，体重の変化またはBMIを用いて評価

・エネルギー必要量の目安：身体活動レベルⅡで男性約2,500 Kcal，女性約2,000 Kcal（Ⅰで－300，Ⅲで＋300）

・推定エネルギー必要量は，年齢，性別，身体活動レベルごとに設定されている．

B 国民健康・栄養調査との比較

	日本人の食事摂取基準（2020年）				国民健康・栄養調査（2020年）
	男性18〜29歳（女性18〜29歳）				20歳以上（総数）
	推定平均必要量	推奨量	目安量	目標量	
たんぱく質（g）	50（40）	65（50）			72.2（71.4）
脂肪エネルギー比率（%）				20〜30（20〜30）	28.4（28.6）
炭水化物エネルギー比率（%）				50〜65（50〜65）	56.4（56.3）
n-3系脂肪酸（g）			2（1.6）		2.46（2.36）
食物繊維（g）				21以上（18以上）	18.8（18.4）
ナトリウム（食塩相当量（g））				7.5未満（6.5未満）	10.1（9.7）
カルシウム（mg）	650（550）	800（650）			498（505）
鉄（mg）	6.5（5.5）	7.5（6.5）			7.9（7.6）
ビタミンA（μgRE）	600（450）	850（650）			547（534）
ビタミンB_1（mg）	1.2（0.9）	1.4（1.1）			0.95（0.95）
ビタミンC（mg）*	85（85）	100（100）			99（94）

□（青）：充足，□（黄）：不足，□（赤）：過剰，*男性は不足，女性は充足

過去に国民健康・栄養調査との比較で充足，過不足に関する問題，推奨量・目安量の数値を知らないと解けない問題が出題された．日本人の食事摂取基準では性別，年齢ごとに数値が決まっており，国民健康・栄養調査の結果も年齢階層ごとに示されているが，年齢階層区分が一致していないので単純な比較はできない．

表は，過去に出題された栄養素について，2020年日本人の食事摂取基準と2020年国民健康・栄養調査を示している．

Ⅲ．食生活指針

・文部省，厚生省（当時）および農林水産省が連携して策定

・食事を楽しみましょう．
・１日の食事のリズムから，健やかな生活リズムを．
・適度な運動とバランスのよい食事で，適正体重の維持を．
・主食，主菜，副菜を基本に，食事のバランスを．
・ごはんなどの穀類をしっかりと．
・野菜・果物，牛乳・乳製品，豆類，魚 なども組み合わせて．
・食塩は控えめに，脂肪は質と量を考えて．
・日本の食文化や地域の産物を活かし，郷土の味の継承を．
・食料資源を大切に，無駄や廃棄の少ない食生活を．「食」に関する理解を深め，食生活を見直してみましょう．

食生活指針改定（2016年）の趣旨

・日本人の食事の特徴を生かす．
・食生活の改善など生活習慣を見直し「一次予防」を推進
・高齢者の低栄養の予防
・食べ残し，食品の廃棄を少なくし，地球的規模での資源の有効活用

Ⅳ．食事バランスガイド

「食生活指針」を具体的に行動に結びつけるもので，厚生労働省と農林水産省が策定

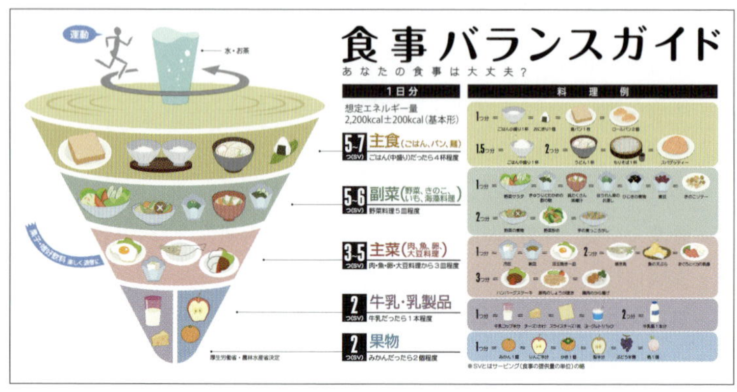

（厚生労働省・農林水産省，2005）

主食	ごはん，パン
副菜	野菜，きのこ，いも，海草
主菜	肉，魚，卵，大豆

Ⅴ．食育基本法

①健全な食生活の実現

安全な食生活の実現ではない（安全な食生活は食品安全基本法に規定）

②伝統的な食文化の継承

③健康の確保

④食育推進基本計画

食育推進会議の設置：農林水産省（義務），都道府県（努力義務），市町村（努力義務）

⑤家庭，学校，保育所などにおける食育の推進

⑥食品安全性の確保

⑦食に関する体験活動

Chapter 21
環境保健

Check Point
- 環境に関する国際条約を説明できる.
- 温熱環境について説明できる.
- 水の衛生について説明できる.

I．環境基本法

「環境への負荷」「地球環境保全」「公害」について定義している.

1）地球環境保全

温暖化またはオゾン層の破壊の進行，海洋の汚染，野生生物の種の減少などに影響を及ぼす環境の保全

2）公害

典型七公害：①大気の汚染，②水質の汚濁，③土壌の汚染，④騒音，⑤振動，⑥地盤沈下，⑦悪臭

3）環境基準

大気の汚染，水質の汚濁，土壌の汚染，騒音の4項目の基準を定めている.

以下の法律で具体的なことが決められている.
- 大気の汚染：大気汚染防止法
- 水質の汚濁：水質汚濁防止法，下水道法
- 土壌の汚染：土壌汚染対策法
- 騒音：騒音規制法
- 振動：振動規制法
- 地盤沈下：工業用水法
- 悪臭：悪臭防止法

Ⅱ．地球環境の変化と健康への影響

	原因	疾病・影響	関連する条約，法律
地球温暖化	温室効果ガス：赤外線を吸収するガス6種類	マラリア デング熱 熱中症	気候枠組条約（京都議定書，パリ協定）
オゾン層破壊	フロン，ハロンなど	紫外線の影響 白内障 がん 免疫低下による感染症	ウイーン条約 モントリオール議定書 家電リサイクル法 自動車リサイクル法
砂漠化	森林伐採，家畜の過放牧	森林破壊	
酸性雨	硫黄酸化物，窒素酸化物，塩化水素	森林破壊 温室効果ガス増加	
森林の減少		二酸化炭素の吸収源の減少	
生物種の減少			ラムサール条約：湿地 ワシントン条約：国際取引

1）温室効果ガス

・赤外線を吸収するガスのこと

・京都議定書で数値目標が定められたもの：二酸化炭素，メタン，亜酸化窒素，ハイドロフルオロカーボン類，パーフルオロカーボン類，六フッ化硫黄

・温室効果は約5割が水蒸気，2割が二酸化炭素による．

2）温暖化係数

・二酸化炭素を基準にした温室効果の強さ

例）二酸化炭素1，メタン25.6，フッ化硫黄22,800

Ⅲ．国際条約

京都議定書（気候枠組み条約）	温室効果ガスの排出規制
パリ協定（気候枠組み条約）	世界の平均気温上昇を 1.5℃に抑える
ウイーン条約	オゾン層の変化により生ずる悪影響から人の健康および環境を保護するために適当な措置
モントリオール議定書	特定フロン，ハロン，四塩化炭素などオゾン層を破壊するおそれのある物質を指定し，製造，消費，貿易を規制
カルタヘナ条約	バイオテクノロジーにより改変された生物による，生物多様性への悪影響を防止するための措置（実験で遺伝子を改変した細菌，細胞，動物を自然界に放出してはいけない）
バーゼル条約	有害廃棄物越境移動規制
ストックホルム条約	残留性有機化合物に対する規制（ダイオキシン，PCB，DOT）
ラムサール条約	国際的に重要な湿地に関する国際的な条約
ワシントン条約	野生動植物の国際取引規制
ロンドン条約	海洋の汚染防止

Ⅳ．公害

A 典型七公害

①大気の汚染

②水質の汚濁

③土壌の汚染

④騒音

⑤振動

⑥地盤沈下

⑦悪臭

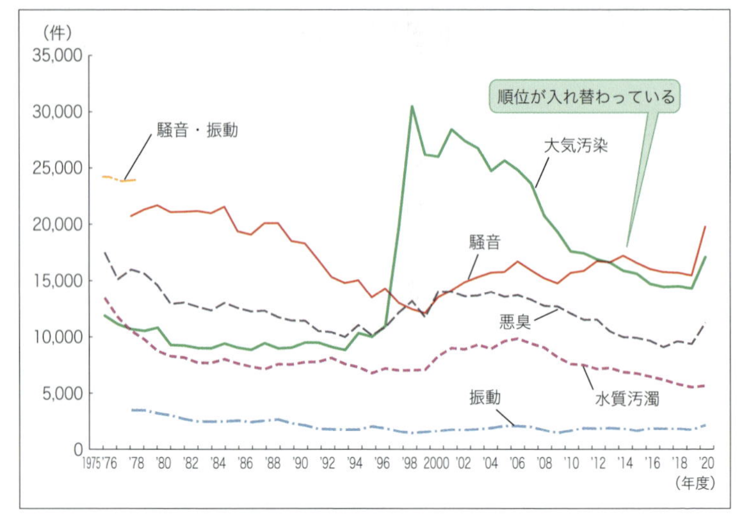

典型七公害種類別公害苦情受付件数の推移
・「土壌汚染」および「地盤沈下」は苦情件数が少ないため，表示していない.
・「騒音」と「振動」は，1976 年度以前の調査においては，「騒音・振動」としてとらえていた.
・1994 年度から調査方法を変更したため，件数は不連続となっている.

(総務省公害等調整委員会，公害苦情調査，2020)

CHECK! 変動が大きく順位の入れ替えが起こる可能性がある衛生統計

・人口動態統計の「不慮の事故」
・食中毒統計
・公害の苦情件数

B 四大公害

	水俣病	新潟水俣病（第二水俣病）	イタイイタイ病	四日市ぜんそく
発生地域	熊本県水俣市 不知火海沿岸	新潟県阿賀野川流域	富山県神通川流域	三重県四日市市
原因物質	水質汚濁（生物濃縮による）		水質汚濁	大気汚染
	メチル水銀化合物（有機水銀）		カドミウム	硫黄酸化物
症状	手足のふるえ，感覚障害，聴力障害，神経障害，運動失調，視野狭窄，平衡機能障害，言語障害		骨軟化症 腎機能障害	気管支炎 気管支喘息 咽喉頭炎 肺気腫

C その他の公害事件

・足尾鉱毒事件：渡良瀬川
・大阪空港訴訟：伊丹空港の航空機騒音
・田子の浦港ヘドロ公害：製紙会社からの排水によるヘドロ公害
・土呂久ヒ素公害：ヒ素焼きをしていた鉱山の周囲にヒ素公害が発生
・PCB（ポリ塩化ビフェニル）によるカネミ油症事件（1968 年）：食中毒事件（皮膚に色素が沈着した状態の新生児が誕生）
・スモン（亜急性脊髄視神経症）：整腸剤キノホルムによる薬害．激しい腹痛が起こり，2～3 週間後に下肢の痺れ，脱力，歩行困難などの症状
・サリドマイド：催奇形性，サリドマイド胎芽症，胎児死亡

V．大気汚染

汚染物質	発生源	人体への影響	備考
硫黄酸化物（SOx）	化石燃料の燃焼 工場からの煙など	気管支炎 ぜん息	酸性雨の原因
窒素酸化物（NOx）	燃料中や空気中の窒素と酸素が結びついて発生 工場や火力発電所，自動車，家庭など	のど，気管，肺などの呼吸器に悪影響	
光化学オキシダント（Ox）	NOx や VOC が紫外線で光化学反応を起こし発生	目の痛み 吐き気 頭痛など	「注意報」「警報」「重大警報」を発令
粒子状物質（PM）	工場の煙から出る煤塵 粉塵 ディーゼル車の排出ガス 土ぼこりなど	呼吸器疾患 がん	
浮遊粒子状物質（SPM）	粒径 10 μm 以下 自動車交通量の急増	がん アレルギー疾患	
微小粒子状物質（PM 2.5）	浮遊粒子状物質で粒径 2.5 μm 以下	呼吸器疾患 肺がん	
ダイオキシン	廃棄物の焼却 金属精錬施設 自動車排ガス たばこの煙	発がん性 催奇形性 免疫毒性	脂溶性 食物連鎖による生物濃縮
一酸化炭素	不完全燃焼		血液の酸素運搬能力低下

環境基準達成率

PM 2.5：37.8%，光化学オキシダント：0%，その他はほぼ 100%

Ⅵ．騒音・振動・悪臭

A 騒音

・単位：dB

1）騒音性難聴

・職業性難聴ともいう．騒音を聞くのをやめると回復する．

・85 dB を超える音を聞き続けると難聴になるリスクが高まる（通常の会話は 40 ～ 60 dB）．

2）感音性難聴

・伝音性難聴が続いて内耳に影響が出た難聴

・補充現象：感音性難聴に伴う聴覚過敏症の症状

B 振動

・単位：dB

はくろう病

・手足の血管が収縮することで起こる血管性運動神経障害

・チェーンソーなど，強い振動を伴う工具を用いる職種の人が発病

・手指の白色化現象（レイノー現象）が起こる．

C 悪臭

悪臭防止法で，特定悪臭物質としてアンモニア，メチルメルカプタン，硫化水素などの基準を設けている．

Ⅶ. 水の衛生

A 浄水の処理

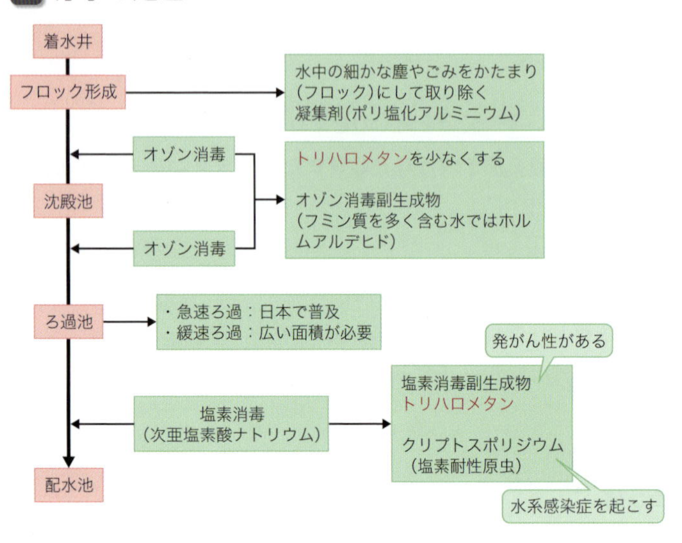

B 下水の処理

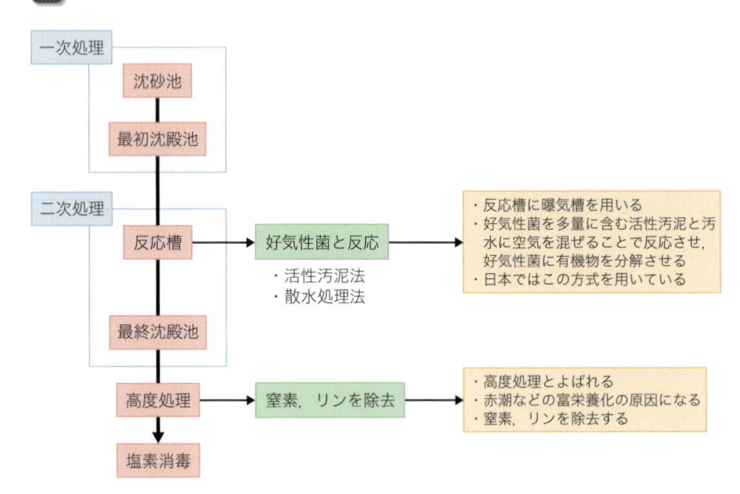

浄化槽での処理方法
嫌気槽 → 曝気槽 → 消毒槽
腐敗法：嫌気性微生物により有機物が分解される方法．浄化槽で曝気槽と組み合わせて用いられている．

C 水質汚染物質

1）トリハロメタン

塩素消毒副生成物．発がん性，催奇形性

2）クロロホルム

肝障害，腎障害

3）フミン質

植物を微生物が分解した最終分解生成物．トリハロメタンの前駆物質

4）窒素，リン

富栄養化，赤潮の原因

D 水質基準

・末端の給水栓で塩素が検出されなければならない．
・水質汚濁防止法では「健康に係わる有害物質についての排水基準」と「生活環境に係わる汚染状態についての排水基準」がある．
・環境基本法では，「人の健康の保護に関する環境基準」と「生活環境の保全に関する環境基準」がある．

	水道水の水質基準	排水基準	人の健康の保護に関する環境基準（公共用水域）
関連法規	水道法	水質汚濁防止法	環境基本法
検出されてはいけないもの	大腸菌	アルキル水銀化合物	アルキル水銀
			PCB
			全シアン
その他	フッ素　0.8 ppm	BOD，COD，SS	DO，（COD，BOD，SS）

BOD：生物学的酸素要求量，COD：化学的酸素要求量，SS：浮遊物質量，
DO：溶存酸素

CHECK! 水道水の水質基準

・水道水の水質基準では，有害である水銀，一般細菌などは「検出されてはいけないもの」になっていない．これらを検出限界以下にできないためである．
・ウイルス，原虫に対する基準はない．

水質汚濁の指標

DO	溶存酸素	低いほど汚染が高度
BOD	生物学的酸素要求量	高いほど汚染が高度
COD	化学的酸素要求量	高いほど汚染が高度
SS	浮遊物質量	高いほど汚染が高度

その他：pH，大腸菌数，n-ヘキサン抽出物，窒素，リンなど

CHECK!

値が低いほど汚染されているのは溶存酸素だけ

Ⅷ．室内環境

・建築物衛生法（ビル管理法）：空気環境の調整，給水および排水の管理，清掃，ねずみ，昆虫などの防除について規定
・保健所の業務：多数の者が使用し，利用する建築物の環境衛生の維持管理，知識の普及，指導

A 温熱の 4 要素と温度計

1）温熱の 4 要素

気温，気湿，気流（気動），輻射熱（遠赤外線の熱線によって直接伝わる熱）

2）温度計

（1）アウグスト乾湿計

乾球と湿球から温度，湿度，不快指数を求める．〔気流の影響を受ける〕

（2）アスマン通風乾湿計

乾球と湿球から温度，湿度，不快指数を求める．〔気流の影響を受けにくい〕

(3) カタ寒暖計

・100°F（38℃）と 95°F（35℃）の 2 つの目盛りがある.

・乾カタと湿カタがある.

・室内の微気流を計る.

(4) 黒球温度計

輻射熱を計る.

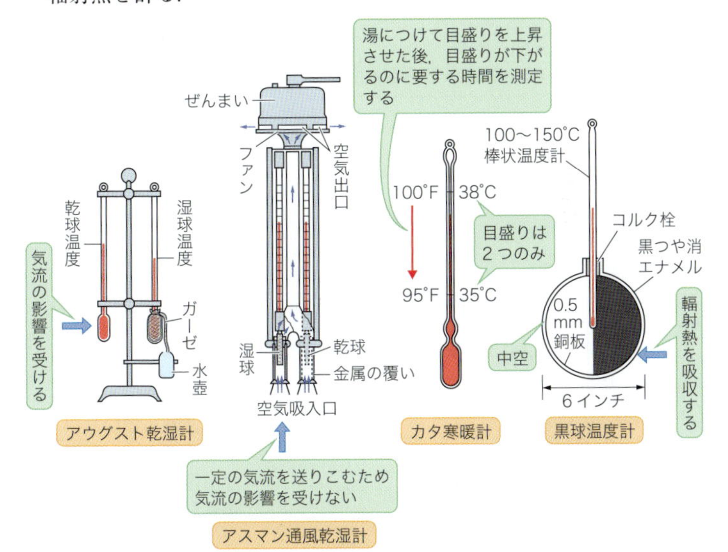

カタ冷却力＝カタ係数／アルコール柱の下降する時間　→気流を算出

	気温，気湿		気流	輻射熱
	アウグスト乾湿計	アスマン通風乾湿計	カタ寒暖計	黒球温度計
不快指数	○	○	−	−
感覚温度	×	○	○	−
修正感覚温度	×	○	○	○

B ET 線図

・アスマン通風乾湿計から求めた乾球温度，湿球温度とカタ寒暖計から求めた気流から感覚温度を求める．
・温度が低いほうが気流の影響を受けやすい．
・感覚温度は表と式から求めることもできる．

感覚温度の求め方
・乾球温度と湿球温度を線で結ぶ
・気流の線との交点から感覚温度を読み取る

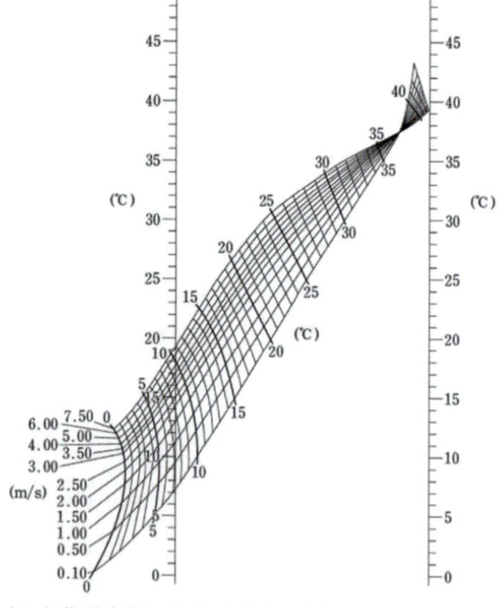

（日本薬学会編，衛生試験法・注解 2015，2015 より改変）

CHECK!

この図の意味をしっかり理解していないと解答できない問題が出題されている．
感覚温度が上昇するのは
・気温が高い
・気湿が高い
・気流が少ない
気圧，輻射熱は関係しない．

コラム：相対湿度と絶対湿度

絶対湿度：単位あたりの空気中に存在する水分量
相対湿度：飽和水蒸気量を 100 としたときの空気中の水分量
通常は相対湿度が使用される．

C 建築物環境衛生基準

- 浮遊粉じん量：0.15 mg/m³ 以下
- **CO（一酸化炭素）：10 ppm 以下**（0.0001％） 衛生学的許容濃度とよばれる
- **CO_2（二酸化炭素）：1,000 ppm 以下**（0.1％：大気中の濃度の 3 倍） 室内換気量の目安
- 温度：17 ～ 28℃
- 湿度：40 ～ 70％
- 気流：0.5 m/ 秒以下
- ホルムアルデヒド：0.1 mg/m³ 以下

CHECK! CO と CO_2 の違い

- CO：無色・無臭，Hb との結合力は CO_2 の 300 倍
- CO_2：大気中に 0.04％，呼気に 4％，成人 1 時間あたり 20 L 排出，換気の指標

必要換気量は CO_2 濃度を用いて算出する
必要換気量＝ CO_2 発生量／許容 CO_2 濃度－外気の CO_2 濃度

D シックハウス症候群

- 原因：揮発性有機化合物（VOC），カビ，ダニ，細菌
- 症状：めまい，のどの痛みなど

E 照度

- 単位：ルクス（Lx）
- 診療室：750 ～ 1,000 Lx
- 手術室：1,000 ～ 1,500 Lx

I．医療関係職種に関係する法律

A 歯科三法

歯科医師法

歯科医師は，歯科医療及び保健指導を掌ることによって公衆衛生の向上および増進に寄与し，もって国民の健康な生活を確保するものとする．

免許	絶対的欠格事由	未成年者
	相対的欠格事由	心身の障害，麻薬，大麻，あへん中毒，罰金以上の刑，医事に関し犯罪不正
		視覚障害，聴覚障害，言語障害，精神障害は厚生労働省令
歯科医師国家試験	歯科医学と口腔衛生	
歯科医師の権利	業務独占，名称独占	
義務	①現状届け出（医師・歯科医師・薬剤師統計〈全数調査〉），②品位保持，③臨床研修，④応召の義務，⑤診断書交付，⑥無診療治療の禁止，⑦処方せん交付，⑧療養方法等，保健指導，⑨診療録の記載，保存（5年保存，歯科衛生士に口述記載の場合は後で確認）	

第一条	歯科医師は，歯科医療及び保健指導を掌ることによつて，公衆衛生の向上及び増進に寄与し，もつて国民の健康な生活を確保するものとする．	総則
第三条	未成年者には，免許を与えない．	絶対的欠格事由
第四条	次の各号のいずれかに該当する者には，免許を与えないことがある． 一　心身の障害により歯科医師の業務を適正に行うことができない者として厚生労働省令で定めるもの 二　麻薬，大麻又はあへんの中毒者 三　罰金以上の刑に処せられた者 四　前号に該当する者を除くほか，医事に関し犯罪又は不正の行為のあつた者	相対的欠格事由
第六条3	歯科医師は，厚生労働省令で定める二年ごとの年の十二月三十一日現在における氏名，住所，その他厚生労働省令で定める事項を，当該年の翌年一月十五日までに，その住所地の都道府県知事を経由して厚生労働大臣に届け出なければならない．	現状届け出 医師･歯科医師･薬剤師統計

<table>
<tr><td rowspan="3">第七条</td><td>歯科医師が，第三条に該当するときは，厚生労働大臣は，その免許を取り消す．</td><td>免許の取り消し</td></tr>
<tr><td>歯科医師が第四条各号のいずれかに該当し，又は歯科医師としての品位を損するような行為のあつたときは，厚生労働大臣は，処分をすることができる．（戒告，三年以内の歯科医業の停止，免許の取消し）</td><td>処分</td></tr>
<tr><td>厚生労働大臣は，処分をなすに当つては，あらかじめ医道審議会の意見を聴かなければならない．</td><td>医道審議会</td></tr>
<tr><td>第九条</td><td>歯科医師国家試験は，臨床上必要な歯科医学及び口くう衛生に関して，歯科医師として具有すべき知識及び技能について，これを行う．</td><td>国家試験</td></tr>
<tr><td rowspan="2">第一六条の二</td><td>診療に従事しようとする歯科医師は，一年以上，歯学若しくは医学を履修する課程を置く大学に附属する病院（歯科医業を行わないものを除く．）又は厚生労働大臣の指定する病院若しくは診療所において，臨床研修を受けなければならない．</td><td>臨床研修</td></tr>
<tr><td>厚生労働大臣は，臨床研修を修了した者について，その申請により，臨床研修を修了した旨を歯科医籍に登録する．</td><td>臨床研修を修了した旨を歯科医籍に登録</td></tr>
<tr><td>第一七条</td><td>歯科医師でなければ，歯科医業をなしてはならない．</td><td>独占業務</td></tr>
<tr><td>第一八条</td><td>歯科医師でなければ，歯科医師又はこれに紛らわしい名称を用いてはならない．</td><td>名称独占</td></tr>
<tr><td rowspan="2">第一九条</td><td>診療に従事する歯科医師は，診察治療の求があつた場合には，正当な事由がなければ，これを拒んではならない．</td><td>応召の義務</td></tr>
<tr><td>2　診療をなした歯科医師は，診断書の交付の求があつた場合は，正当な事由がなければ，これを拒んではならない．</td><td>診断書の交付（死亡診断書）</td></tr>
<tr><td rowspan="2">第二〇条</td><td>歯科医師は，自ら診察しないで治療をし，又は診断書若しくは処方せんを交付してはならない．</td><td>無診療治療の禁止</td></tr>
<tr><td>歯科医師は，患者に対し治療上薬剤を調剤して投与する必要があると認めた場合には，患者又は現にその看護に当つている者に対して処方せんを交付しなければならない．</td><td>処方せんを交付</td></tr>
<tr><td>第二一条</td><td>ただし，患者又は現にその看護に当つている者が処方せんの交付を必要としない旨を申し出た場合及び次の各号の一に該当する場合においては，その限りでない．</td><td>処方せん交付の例外</td></tr>
<tr><td>第二二条</td><td>歯科医師は，診療をしたときは，本人又はその保護者に対し，療養の方法その他保健の向上に必要な事項の指導をしなければならない．</td><td>療養の方法の指導</td></tr>
</table>

第二三条	歯科医師は，診療をしたときは，遅滞なく診療に関する事項を診療録に記載しなければならない．	診療録の記載
	2　前項の診療録であつて，病院又は診療所に勤務する歯科医師のした診療に関するものは，その病院又は診療所の管理者において，その他の診療に関するものは，その歯科医師において，五年間これを保存しなければならない．	診療録の保管
第二八条の二	厚生労働大臣は，歯科医療を受ける者その他国民による歯科医師の資格の確認及び歯科医療に関する適切な選択に資するよう，歯科医師の氏名その他の政令で定める事項を公表するものとする．	氏名の公表

歯科医師法施行規則

第一条	視覚，聴覚，音声機能若しくは言語機能又は精神の機能の障害により歯科医師の業務を適正に行うに当たつて必要な認知，判断及び意思疎通を適切に行うことができない者	相対的欠格事由
第十九条の四	歯科医師は，その交付する死亡診断書に，次に掲げる事項を記載し，記名押印又は署名しなければならない．死亡者の氏名，生年月日及び性別，死亡の年月日時分，死亡の場所及びその種別，死亡の原因となつた傷病の名称及び継続期間，死因の種類等	死亡診断書の記載事項
第二十条	歯科医師は，患者に交付する処方せんに，患者の氏名，年齢，薬名，分量，用法，用量，発行の年月日，使用期間及び病院若しくは診療所の名称及び所在地又は歯科医師の住所を記載し，記名押印又は署名しなければならない．	処方せんの記載内容
第二十二条	診療録の記載事項は，左の通りである．①診療を受けた者の住所，氏名，性別及び年齢②病名及び主要症状③治療方法（処法及び処置）④診療の年月日	診療録の記載内容

歯科衛生士法

目的	歯科疾患の予防及び口腔衛生の向上を図る	
職務	予防処置	歯科医師（歯科医業をなすことのできる医師を含む）の指導の下に，歯牙及び口腔の疾患の予防処置を行う．
		歯牙露出面及び正常な歯茎の遊離縁下の付着物及び沈着物を機械的操作によって除去
		歯牙及び口腔に対して薬物を塗布
	歯科診療の補助	歯科医師の指示があつた場合を除き，診療機械の使用，医薬品の授与，医薬品についての指示を禁止，臨時応急の手当をすることは，さしつかえない．
	歯科保健指導	主治の歯科医師又は医師の指示を受ける．
		保健所の長の指示に従う．
相対的欠格事項		①罰金以上の刑，②歯科衛生士の業務に関し犯罪又は不正の行為，③心身の障害により業務を適正に行うことができない，④麻薬，あへん，大麻の中毒者

<table>
<tr><td>第一条</td><td>この法律は，歯科衛生士の資格を定め，もつて歯科疾患の予防及び口くう衛生の向上を図ることを目的とする．</td><td>歯科疾患の予防及び口くう衛生の向上</td></tr>
<tr><td rowspan="3">第二条</td><td>この法律において「歯科衛生士」とは，歯科医師の指導の下に，歯牙及び口腔の疾患の予防処置として次に掲げる行為を行うことを業とする者をいう．</td><td>歯科医師の指導の下</td></tr>
<tr><td>一　歯牙露出面及び正常な歯茎の遊離縁下の付着物及び沈着物を機械的操作によつて除去すること．
二　歯牙及び口腔に対して薬物を塗布すること．</td><td>業務内容</td></tr>
<tr><td>歯科衛生士は，保健師助産師看護師法の規定にかかわらず，歯科診療の補助をなすことを業とすることができる．
歯科衛生士は，歯科衛生士の名称を用いて，歯科保健指導をなすことを業とすることができる．</td><td>業務内容</td></tr>
<tr><td>第四条</td><td>次の各号のいずれかに該当する者には，免許を与えないことがある．
一　罰金以上の刑に処せられた者
二　前号に該当する者を除くほか，歯科衛生士の業務に関し犯罪又は不正の行為があつた者
三　心身の障害により業務を適正に行うことができない者として厚生労働省令で定めるもの
四　麻薬，あへん又は大麻の中毒者</td><td>相対的欠格事由</td></tr>
<tr><td>第六条三</td><td>二年ごとの年の十二月三十一日現在における氏名，住所その他厚生労働省令で定める事項を，当該年の翌年一月十五日までに，その就業地の都道府県知事に届け出なければならない．</td><td>届け出</td></tr>
<tr><td>第十三条</td><td>歯科衛生士でなければ，規定する業をしてはならない．</td><td>独占業務</td></tr>
<tr><td>第十三条の二</td><td>歯科衛生士は，歯科診療の補助をなすに当つては，主治の歯科医師の指示があつた場合を除くほか，診療機械を使用し，医薬品を授与し，又は医薬品について指示をなし，その他歯科医師が行うのでなければ衛生上危害を生ずるおそれのある行為をしてはならない．ただし，臨時応急の手当をすることは，さしつかえない．</td><td>応急手当</td></tr>
<tr><td>第十三条の三</td><td>歯科衛生士は，歯科保健指導をなすに当たつて主治の歯科医師又は医師があるときは，その指示を受けなければならない．</td><td rowspan="2">保健指導の指示</td></tr>
<tr><td>第十三条の四</td><td>歯科衛生士は，歯科保健指導の業務に関して就業地を管轄する保健所の長の指示を受けたときは，これに従わなければならない．</td></tr>
<tr><td>第十三条の五</td><td>歯科衛生士は，その業務を行うに当たつては，歯科医師その他の歯科医療関係者との緊密な連携を図り，適正な歯科医療の確保に努めなければならない．</td><td>適正な歯科医療の確保</td></tr>
<tr><td>第十三条の七</td><td>歯科衛生士でない者は，歯科衛生士又はこれに紛らわしい名称を使用してはならない</td><td>名称独占</td></tr>
</table>

第十三条の六	歯科衛生士は，正当な理由がなく，その業務上知り得た人の秘密を漏らしてはならない．歯科衛生士でなくなつた後においても，同様とする．	守秘義務

歯科衛生士法施行規則

第一条	視覚，聴覚，音声機能若しくは言語機能又は精神の機能の障害により歯科衛生士の業務を適正に行うに当たって必要な認知，判断及び意思疎通を適切に行うことができない者とする．	相対的欠格事由の内容
第九条	届出事項	届出事項
	①氏名及び年齢，②住所，③名簿の登録番号及び登録年月日，④業務に従事する場所の所在地及び名称	
第十八条	歯科衛生士は，その業務を行った場合には，その記録を作成して三年間これを保存するものとする．	業務記録

歯科技工士法

歯科技工指示書	歯科医師の指示書が必須，院内技工での直接の指示は例外
指示書の保存義務	病院，診療所又は歯科技工所の管理者が２年間保存
業務上の注意	印象採得，咬合採得，試適，装着をしてはならない．

第一条	この法律は，歯科技工士の資格を定めるとともに，歯科技工の業務が適正に運用されるように規律し，もつて歯科医療の普及及び向上に寄与することを目的とする．	歯科医療の普及及び向上
第二条	歯科技工とは，特定人に対する歯科医療の用に供する補てつ物，充てん物又は矯正装置を作成し，修理し，又は加工することをいう．ただし，歯科医師（歯科医業を行うことができる医師を含む．以下同じ．）がその診療中の患者のために自ら行う行為を除く．	歯科技工
	3　歯科技工所とは，歯科医師又は歯科技工士が業として歯科技工を行う場所をいう．ただし，病院又は診療所内の場所であつて，当該病院又は診療所において診療中の患者以外の者のための歯科技工が行われないものを除く．	歯科技工所
第四条	次の各号のいずれかに該当する者には，免許を与えないことができる．①歯科医療又は歯科技工の業務に関する犯罪又は不正の行為があつた者，②心身の障害により歯科技工士の業務を適正に行うことができない者として厚生労働省令で定めるもの，③麻薬，あへん又は大麻の中毒者	相対的欠格事由
第十七条	歯科医師又は歯科技工士でなければ，業として歯科技工を行つてはならない．	業務独占

第十八条	歯科医師又は歯科技工士は，厚生労働省令で定める事項を記載した歯科医師の指示書によらなければ，業として歯科技工を行つてはならない．ただし，病院又は診療所内の場所において，かつ，患者の治療を担当する歯科医師の直接の指示に基いて行う場合は，この限りでない．	歯科技工指示書
第十九条	病院，診療所又は歯科技工所の管理者は，当該病院，診療所又は歯科技工所で行われた歯科技工に係る指示書を，当該歯科技工が終了した日から起算して二年間，保存しなければならない．	指示書の保存義務
第二十条	歯科技工士は，その業務を行うに当つては，印象採得，咬合採得，試適，装着その他歯科医師が行うのでなければ衛生上危害を生ずるおそれのある行為をしてはならない．	業務上の注意
第二十条の二	歯科技工士は，正当な理由がなく，その業務上知り得た人の秘密を漏らしてはならない．歯科技工士でなくなつた後においても，同様とする．	守秘義務
第二十一条	歯科技工所を開設した者は，開設後十日以内に，開設の場所，管理者の氏名その他厚生労働省令で定める事項を歯科技工所の所在地の都道府県知事に届け出なければならない	歯科技工所の開設，管理
第二十二条	歯科技工所の開設者は，自ら歯科医師又は歯科技工士であつてその歯科技工所の管理者となる場合を除くほか，その歯科技工所に歯科医師又は歯科技工士たる管理者を置かなければならない．	歯科技工所の管理者

歯科技工士法施行規則

第十二条	指示書の記載事項 ①患者の氏名，②設計，③作成の方法，④使用材料，⑤発行の年月日⑥発行した歯科医師の氏名及び当該歯科医師の勤務する病院又は診療所の所在地⑦当該指示書による歯科技工が行われる場所が歯科技工所であるときは，その名称及び所在地	指示書の記載事項

B その他の医療関係職種に関係する法律

医師法	死亡診断書だけでなく死体検案書，出生証明書，死産証書を作成
薬剤師法	医薬品の調剤・服薬指導，処方せんの保存義務
保健師助産師看護師法（保助看法）	業務独占．医師法又は歯科医師法の規定に基づいて行う場合は，この限りでない． 主治の医師又は歯科医師の指示があつた場合を除き，診療機械の使用，医薬品を授与，医薬品について指示を禁止
診療放射線技師法	医師又は歯科医師の指示の下に，放射線を人体に対して照射 医師，歯科医師又は診療放射線技師以外は人体に照射不可

言語聴覚士法	診療の補助として，医師又は歯科医師の指示の下に，嚥下訓練，人工内耳の調整 医師，歯科医師その他の医療関係者との緊密な連携を図り，適正な医療の確保に努める． 主治の医師又は歯科医師があるときは，その指導を受ける．
臨床検査技師法	医師又は歯科医師の指示の下に，微生物学的検査，血清学的検査などを行う．
死体解剖保存法	死体の解剖，保存，死因調査の適正を期することにより公衆衛生の向上，医学（歯学を含む）の教育又は研究に資する．
医療法	①医療の基本理念，②医療選択の支援（広告），③医療施設の種類と開設管理，④医療計画，⑤医療安全，⑥医療法人

Ⅱ．薬事衛生に関する法律

医薬品，医療器機等の品質，有効性及び安全性の確保等に関する法律（薬機法）	①医薬品，医薬部外品，医療器機等の分類，②薬局開設の許可，薬局の管理，③医薬品等の製造販売の承認，④副作用等の報告，⑤治験

Ⅲ．保健衛生に関する法律

健康増進法	①健康日本 21 の法制化，②国民健康・栄養調査，③食事摂取基準の設定，④健康増進事業，⑤受動喫煙の防止，⑥特別用途表示の許可
母子保健法	①妊娠の届け出，②母子保健手帳の交付，③低体重児の届け出，④妊産婦，乳児，幼児の健康診査，⑤訪問指導，⑥未熟児養育医療
児童虐待の防止等に関する法律 (児童虐待防止法)	①児童虐待の定義（身体的，ネグレクト，心理的，性的），②児童虐待を発見した時の通告義務
高齢者の医療の確保に関する法律	①後期高齢者医療制度，②特定健康診査・特定保健指導
介護保険法	①保険者と被保険者，②要介護認定，③主治医意見書，④介護給付
障害者基本法	①障害者の定義（身体障害，知的障害，精神障害，その他の心身の機能の障害），②障害者基本計画，③地域社会における共生，④差別の禁止
障害者の日常生活及び社会生活を総合的に支援するための法律 (障害者総合支援法)	①障害者・児の定義，②自立支援給付，③地域生活支援事業，④費用負担

精神保健福祉法	①精神障害者の定義，②精神保健指定医，③入院形態，④精神障害者福祉手帳，⑤精神保健福祉センター
学校教育法	①学校の範囲，②義務教育，③養護教諭（保健主事：施行規則）
学校保健安全法	①学校保健計画，②学校環境衛生基準，③健康診断，④学校感染症，⑤学校感染症予防の措置（出席停止，臨時休業）
労働基準法	①年少者の労働制限，②妊産婦等の就業制限，③災害補償
雇用分野における男女の均等な機会及び待遇の確保等に関する法律（男女雇用機会均等法）	①性別を理由とする差別の禁止，②妊娠中・妊娠後の健康管理，③不利益取り扱いの禁止
育児休業，介護休業等育児又は家族介護を行う労働者の福祉に関する法律（育児介護休養法）	①育児休業，②介護休業，③子供の看護休暇，④介護休暇制度，⑤短時間勤務の措置
労働安全衛生法	①労働災害の定義，②産業医の選任義務，③衛生管理者の選任義務，④労働衛生管理，⑤健康診断，⑥健康管理手帳
じん肺法	じん肺健康診断
労働者災害補償保険法	①保険者（国），②被保険者（労働者），③保険給付対象，④事業主の保険料全額負担
感染症法	①感染症の定義，②医師の届け出義務，③健康診断，就業制限，入院，④医療費の公費負担，⑤特定感染症予防指針
検疫法	①検疫感染症の定義，②隔離・停留，③入国者への質問・診察，④船舶・航空機の検査
予防接種法	①予防接種を行う疾病，②定期予防接種，③臨時予防接種，④健康被害の救済措置
食品衛生法	①食中毒の届け出義務，②食品・食品添加物の安全性確保
食育基本法	①食育推進基本計画，②食育の推進

Ⅳ．環境保健に関する法律

環境基本法	①公害の定義，②環境基本計画，③環境基準
公害健康被害補償法	①指定地域，②指定疾病，③補償給付，費用負担
大気汚染防止法	有害大気汚染物質の排出基準
水質汚濁防止法	公共小域に排出される排水の基準
水道法	上水道の規制
下水道法	下水道の種類，規制

廃棄物の処理及び清掃に関する法律（廃棄物処理法）	①産業廃棄物，②一般廃棄物，③特別管理廃棄物
建築物における衛生的環境の確保に関する法律（建築物衛生法）	建築物環境衛生管理基準

Ⅴ．社会福祉に関する法律

雇用保険法	失業給付
国民年金法	①被保険者，②給付の種類（老齢基礎年金，障害基礎年金，遺族基礎年金）
厚生年金法	①保険者（政府），②被保険者（被用者），③給付の種類（老齢厚生年金，障害厚生年金，障害手当金，遺族厚生年金）
健康保険法	①保険者，被保険者，②給付の種類（現物給付，現金給付：障害手当金など），③保険医，保険医療機関の指定，④保険薬剤師，保険薬局の指定
国民健康保険法	保険者，被保険者
生活保護法	①保護の対象，②保護の種類（医療扶助，介護扶助，生活扶助，教育扶助，出産扶助，生業扶助，葬祭扶助）
社会福祉法	福祉事務所の設置義務
児童福祉法	①児童相談所の設置義務，②要保護児童の通告義務，③児童相談所長の児童一時保護，④児童福祉施設，⑤小児公費医療負担制度（結核児童療養給付，小児慢性特定疾病医療費助成制度）
老人福祉法	老人福祉事業（生活支援，福祉施設）

Ⅵ．健康関連に関する法律

健康増進法	国民は，健康な生活習慣の重要性に対する関心と理解を深め，生涯にわたって，自らの健康状態を自覚するとともに，健康の増進に努めなければならない．
医療法	医療は，国民自らの健康の保持増進のための努力を基礎として，医療を受ける者の意向を十分に尊重し，病院，診療所，介護老人保健施設，調剤を実施する薬局その他の医療を提供する施設，医療を受ける者の居宅等において，医療提供施設の機能に応じ効率的に，かつ，福祉サービスその他の関連するサービスとの有機的な連携を図りつつ提供されなければならない．

参考文献

1）安井利一ほか編：口腔保健・予防歯科学．東京，医歯薬出版，東京，2017.
2）安井利一ほか編：新編衛生学・公衆衛生学．医歯薬出版，東京，2021.
3）医療情報科学研究所編：公衆衛生がみえる 2018-2019．メディックメディア，東京，2018.
4）電子政府の総合窓口：e-Gov 法令検索
https://elaws.e-gov.go.jp/

Chapter 2

1）厚生労働省ホームページ：「国際生活機能分類－国際障害分類改訂版－」（日本語版）の厚生労働省ホームページ掲載について
https://www.mhlw.go.jp/houdou/2002/08/h0805-1.html
2）厚生労働省ホームページ：健康危機管理について
https://www.mhlw.go.jp/general/seido/kousei/kenkou/

Chapter 3

1）重松逸造，柳川　洋編：新しい疫学．日本公衆衛生協会，東京，1991.

Chapter 5

1）丹後俊郎，松井茂之編：医学統計学ハンドブック．朝倉書店，東京，2018.

Chapter 6

1）総務省統計局ホームページ：人口推計 人口推計の結果の概要 各年 10 月 1 日現在人口，令和 3 年
2）総務省統計局ホームページ：人口推計 人口推計の結果の概要 令和 2 年 1 月確定値，令和 4 年 6 月概算値
https://www.stat.go.jp/data/jinsui/2.html
3）国立社会保障・人口問題研究所ホームページ：将来推計人口・世帯数
http://www.ipss.go.jp/syoushika/tohkei/Mainmenu.asp
4）厚生労働省ホームページ：令和 3 年（2021）人口動態統計月報年計（概数）の概況
https://www.mhlw.go.jp/toukei/saikin/hw/jinkou/geppo/nengai21/index.html
5）厚生労働省ホームページ：平成 30 年我が国の人口動態（平成 28 年までの動向）
https://www.mhlw.go.jp/toukei/list/dl/81-1a2.pdf
6）国立がん研究センターホームページ：がん情報サービス　年次推移
https://ganjoho.jp/reg_stat/statistics/stat/annual.html

Chapter 7

1）総務省統計局ホームページ：令和 2 年国勢調査
http://www.stat.go.jp/data/kokusei/2020/index.html
2）厚生労働省ホームページ：人口動態調査
https://www.mhlw.go.jp/toukei/list/81-1a.html
3）厚生労働省ホームページ：国民生活基礎調査
https://www.mhlw.go.jp/toukei/list/20-21.html
4）厚生労働省ホームページ：患者調査
https://www.mhlw.go.jp/toukei/list/10-20.html
5）厚生労働省ホームページ：医療施設調査
https://www.mhlw.go.jp/toukei/list/79-1.html
6）厚生労働省ホームページ：医師・歯科医師・薬剤師統計
https://www.mhlw.go.jp/toukei/list/33-20.html
7）厚生労働省ホームページ：衛生行政報告例
https://www.mhlw.go.jp/toukei/list/36-19.html
8）厚生労働省ホームページ：国民健康・栄養調査
https://www.mhlw.go.jp/bunya/kenkou/kenkou_eiyou_chousa.html

Chapter 8

1）厚生労働省ホームページ：医療保険医療費データベース
https://www.mhlw.go.jp/bunya/iryouhoken/iryouhoken14/
2）国立社会保障・人口問題研究所ホームページ：令和元年度社会保障費用統計
https://www.ipss.go.jp/ss-cost/j/fsss-R01/R01-houdougaiyou.pdf
3）厚生労働省ホームページ：国民医療費．結果の概要
https://www.mhlw.go.jp/toukei/list/37-21c.html

Chapter 10

1）厚生労働省ホームページ：健康日本 21 目標値一覧
https://www.mhlw.go.jp/www1/topics/kenko21_11/t2a.html

Chapter 11

1）厚生労働省ホームページ：令和 2 年度児童相談所での児童虐待相談対応件数
https://www.mhlw.go.jp/content//000863297.pdf

Chapter 12

1）文部科学省ホームページ：学校保健統計調査
https://www.mext.go.jp/b_menu/toukei/chousa05/hoken/1268826.htm

Chapter 15

1) 厚生労働省ホームページ：地域包括支援センター（地域包括ケアシステム）のイメージ
https://www.mhlw.go.jp/topics/kaigo/gaiyo/k2005_05.html
2) 厚生労働省ホームページ：地域包括ケアシステム
https://www.mhlw.go.jp/stf/seisakunitsuite/bunya/hukushi_kaigo/kaigo_koureisha/chiiki-houkatsu/

Chapter 19

1) 厚生労働省ホームページ：食中毒統計調査
https://www.mhlw.go.jp/toukei/list/112-1.html

Chapter 20

1) 厚生労働省ホームページ：日本人の食事摂取基準（2020 年版）策定検討会報告書
https://www.mhlw.go.jp/stf/newpage_08517.html
2) 農林水産省ホームページ：食生活指針について
https://www.maff.go.jp/j/syokuiku/shishinn.html
3) 農林水産省ホームページ：「食事バランスガイド」について
https://www.maff.go.jp/j/balance_guide/

Chapter 21

1) 総務省公害等調整委員会：公害苦情調査
https://www.soumu.go.jp/kouchoi/knowledge/report/main.html
2) 日本薬学会編：衛生試験法・注解 2005．金原出版，東京，2015．

索引

あ行

か行

さ行

た行

な行

は行

ま行

や行

ら行

わ行

数字

欧文

【著者略歴】

野 村 義 明

1990年　東京医科歯科大学歯学部卒業
1998年　東京医科歯科大学大学院医学研究科修了
2007年　国立保健医療科学院口腔保健部口腔保健技術室長
2019年　鶴見大学歯学部学内教授
2022年　上海理工大学国際光触媒研究所教授，鶴見大学歯学部研究員

山 本　健

1992年　鶴見大学歯学部卒業
1997年　鶴見大学大学院歯学研究科修了
2011年　鶴見大学歯学部学内講師
2016年　鶴見大学歯学部講師

歯科国試パーフェクトマスター
衛生学・公衆衛生学　第2版　ISBN978-4-263-45884-6

2019年 1 月25日　第1版第1刷発行
2021年12月20日　第1版第3刷発行
2022年 9 月25日　第2版第1刷発行

著 者 野 村 義 明
発行者 白 石 泰 夫

発行所　医歯薬出版株式会社

〒113-8612　東京都文京区本駒込1-7-10
TEL.(03)5395-7638(編集)・7630(販売)
FAX.(03)5395-7639(編集)・7633(販売)
https://www.ishiyaku.co.jp/
郵便振替番号 00190-5-13816

乱丁，落丁の際はお取り替えいたします　印刷・あづま堂印刷／製本・愛千製本所